D0714409

D'AMOUR
ET DE FLAMMES

Collection:
"DES ROSES POUR ANNICK"

Titres déjà parus:

DIDIER DECOIN

D'AMOUR
ET DE FLAMMES

Dépôt légal:
Bibliothèque Nationale du Canada
Bibliothèque Nationale du Québec
4e trimestre 1979

Collection:
"DES ROSES POUR ANNICK"

© Presses Sélect Ltée, 1555 ouest, rue de Louvain, Mont-
réal. Qué. H4N 1G6 pour l'édition en langue française pour
le monde entier.

© Librairie Hachette, 1973

Hachette

Mais ne devons-nous pas tout donner, ici, sur terre, ce que nous avons de mieux aux autres ? Apporter ce que nous pouvons,,, Oh ! Je n'ai donné que des roses !

Hans Christian ANDERSEN
1862

AVERTISSEMENT

En l'an 1492, la ville de Grenade est reprise aux envahisseurs maures par Ferdinand d'Aragon et Isabelle de Castille, souverains d'Espagne. Une guerre impitoyable, qui dure depuis le tout début du VIIIe siècle, touche à sa fin.

Mais une autre guerre, peut-être plus effroyable encore parce que plus secrète, se poursuit : la lutte que mène l'Inquisition contre les hérétiques.

Des siècles durant, les tribunaux de l'Inquisition, qui disent ne devoir de comptes à personne sinon à Dieu, envoyèrent au bûcher des milliers d'hommes et de femmes.

Certains de ces hommes étaient des vieillards...

Certaines de ces femmes étaient des jeunes filles...

Le caractère essentiel de l'Inquisition était le secret. Un secret qui laisse peser son poids de sang, de larmes, d'injustices sur l'histoire de l'Espagne et qui, encore aujourd'hui, n'est pas tout à fait levé.

Cependant, il ne faudrait pas confondre l'histoire de l'Espagne, ni celle de la religion catholique, avec l'histoire de l'Inquisition.

Emanation — au départ — du catholicisme en général et du catholicisme espagnol en particulier, l'Inquisition ne tarda pas à échapper au contrôle de ceux qui l'avaient fondée.

Née de Dieu, elle devint l'instrument du Diable.

Et c'est à l'heure où l'Inquisition se met au service des puissances du mal que se situe l'action de ce livre.

PREMIÈRE PARTIE

LE CRÉPUSCULE

L^{A-HAUT}, sur la crête de la colline, les cavaliers avaient retenu leurs montures.

Autour d'eux se dressaient les contreforts des Alpes.

Et voici qu'il se fit un étonnant silence, seulement entrecoupé des trois souffles : souffle des hommes épuisés, souffle des chevaux, souffle enfin du vent qui allait et venait, charriant des colonnes de nuées entre gris et pourpre.

Les cavaliers contemplèrent le village minuscule blotti dans la vallée. C'était un village tout en toits, tout en mousses brunes, et sur lequel tombait une neige sans hâte.

Et la terre noire en devenait douce ; et certaines maisons, plus ventrues que les autres, prenaient maintenant des allures de grands oiseaux aux plumes ébouriffées par une rafale.

Jaime de Morelo ajusta son manteau bleu frappé d'une croix brodée de fils d'or : dans ce paysage désolé, la richesse du vêtement avait quelque chose de tellement insolite que les cavaliers se mirent à fixer leur chef avec une sorte de crainte respectueuse.

« Déployez l'étendard ! » dit alors Morelo.

Le plus jeune des cavaliers — il était aussi le seul à ne pas porter de barbe — s'avança :

« Mais les habitants vont avoir peur, monseigneur ! »

Jaime lui sourit :

« Domenico, enfant ! C'est tout le contraire : ainsi, dès qu'ils nous apercevront, se rendront-ils compte que nous ne sommes pas une troupe de brigands. »

Le jeune homme sourit à son tour. Il débarrassa l'étendard de sa housse, et l'aida à s'ouvrir au vent.

« En avant ! » ordonna Jaime de Morelo.

La troupe dévala le flanc de la colline, longea des pâturages dont l'herbe avait été comme brûlée par le froid d'un hiver rigoureux. Quand ils parvinrent à l'entrée du village, les cavaliers étaient blancs de neige.

Au loin, un chien hurla.

« On dirait un loup », pensa Domenico.

Et il frissonna.

Pourtant, il connaissait les loups : il s'était mesuré à eux plus de quinze fois depuis que, sous les ordres de Morelo, il avait quitté Cabiosco, en terre espagnole.

Et même, il en avait tué trois à l'aide de son seul poignard. Mais la fatigue du trop long voyage avait comme émoussé le courage du jeune homme. Il lui semblait ne pas avoir vieilli, durant ces cinq mois. Tout à l'inverse, il se sentait régresser vers l'époque de son enfance — quand il était vraiment petit garçon et qu'il se réfugiait près de sa mère au moindre péril.

Il s'affaissa sur l'encolure de son cheval, et souhaita sombrer dans un sommeil sans rêves.

Il ne remarqua pas que les habitants étaient apparus au seuil de leurs demeures.

Ces hommes, ces femmes, se ressemblaient étrangement. Ils suivaient du regard le défilé des vingt-trois cavaliers, et ne disaient rien. Pour l'heure, ils se contentaient d'observer. Ils jugeraient plus tard, lorsqu'ils sauraient qui étaient ces soldats sales, aux visages fermés, et qui se faisaient précéder d'une bannière où était tissée l'image de l'archange Michel.

Les chiens aussi se montrèrent, chiens de misère aux couleurs d'étoffes fanées, que l'on eût dits conçus tout exprès pour accompagner des funérailles. Ils encadraient les chevaux, gambadant entre les sabots, racontant aux grands animaux leurs histoires insensées de nuits sans lune, et de gamelles sans viande.

Les cavaliers allaient toujours, et derrière eux la petite foule se refermait.

Enfin Morelo s'arrêta. Il se pencha :

« La maison commune ? »

Une femme étendit le bras :

« Deux pas, et vous y êtes ! »

La pièce était enfumée : la tourbe s'enflammait mal, à cause du vent qui s'engouffrait dans la cheminée et prenait le foyer à rebrousse-feu. Sur le sol jonché de paille sèche, une vache était étendue sur le flanc, et elle haletait. L'homme qui se tenait auprès de la bête se releva en apercevant Morelo :

« Qui diantre êtes-vous...? »

L'Espagnol s'inclina :

« Vous-même êtes sans doute maître Godefroy, chef de ce village ? »

Il n'attendit pas la réponse, poursuivit :

« Je m'appelle Jaime de Morelo, je viens de la ville de Cabiosco, en Espagne. »

Maître Godefroy eut un sursaut :

« L'Espagne, vous dites...? »

— Vous ne savez pas ce qu'est l'Espagne ?

— Ce n'est pas ça... Mais... »

Morelo comprit à demi mot :

« Vous vous demandez ce que peuvent bien faire des Espagnols dans cet endroit perdu, n'est-ce pas ? Ah ! ne vous inquiétez pas ainsi, maître Godefroy : toutes vos questions trouveront les réponses qui leur conviennent. »

Il regarda autour de lui :

« Nous sommes à bout de forces, mes hommes et moi. »

Godefroy écarta les mains :

« Malheureusement, nous ne sommes pas riches, et... »

Jaime l'interrompit. Il dit, avec douceur :

« Nos chevaux sont habitués à se suffire de très peu. »

Derrière lui, Domenico ajouta :

« Et nous aussi ! »

La foule attendait, massée devant le porche de la maison·commune ; une foule immobile, les bras ballants, qui paraissait ne pas se soucier du froid terrible qui, avec le soir, s'était abattu sur le village.

Enfin, Godefroy ouvrit la porte. Un long moment, il dévisagea en silence ceux qui lui faisaient face. Puis :

« Ce sont des Espagnols ! »

Quelqu'un se hissa sur la pointe des pieds, et lança :

« Quelle sorte d'Espagnols ? »

Maître Godefroy baissa la tête :

« Je n'en sais rien. Mais ils n'ont pas l'air de nous vouloir du mal. Alors, je vous demande à tous de les accueillir avec amitié... Parce que... »

Ne trouvant aucune réponse satisfaisante, il se réfugia dans l'autorité qu'il avait le droit de manifester en tant que chef de ce village, chef élu, certes, mais depuis si longtemps qu'on en était venu à considérer son rang comme étant presque issu de la volonté éternelle du Seigneur.

Il ajouta donc :

« Et d'ailleurs, c'est un ordre ! »

Il pivota sur lui-même, referma la porte avec une sorte de violence, si bien qu'un paquet de neige fraîche se détacha du toit et vint s'écraser aux pieds du peuple. Cela fit comme un sceau, au bas d'un parchemin.

Les habitants se détournèrent. Ils saisirent les brides des chevaux que leur tendaient les cavaliers, et s'éloignèrent.

Dans la salle de la maison commune, Jaime de Morelo avait ôté son manteau bleu ; puis il s'était agenouillé près de la vache :

« Elle va vêler.

— Oui, dit doucement Godefroy. C'est heureux.

— Ce sera pour cette nuit, estima Morelo.

— Si la neige n'attire pas les loups... Sinon, elle prendra peur. Et elle crèvera avant l'aube. »

Morelo se releva :

« Je vous ferai aider, maître Godefroy. L'un de mes hommes possède un élevage de taureaux. Il connaît ce bétail. »

Il se tut brusquement. Lui aussi, comme Domenico, souhaitait intensément ne plus être responsable de rien, ni de personne ; pas même de lui-même. Du moins pour un moment, un court moment qu'il eût aimé passer à s'abandonner à la tiédeur humide de cette pièce, à fermer ses yeux que piquait la fumée, à étendre ses membres dont la chevauchée avait noué les muscles à présent douloureux.

Il dit pourtant :

« Nous venons en amis.

— Je n'en doute pas, fit Godefroy. Votre étendard est chrétien. »

L'Espagnol esquissa un sourire :

« Maître Godefroy, cette partie de l'univers est toute entière chrétienne. Il n'empêche que notre beau monde contient sa part de truands, qui battent aussi pavillon de Dieu. »

Il s'assit :

« Bon, vous avez raison : nous ne sommes pas truands ! »

Godefroy s'était hissé sur un tabouret à trois pieds, et il décrochait un jambon déjà entamé qui pendait à une des poutres de la charpente au

22

dessin compliqué. Il aiguisa un couteau et découpa une tranche épaisse — puis une autre, plus fine :

« Mangez plutôt, monseigneur !

— Et mes hommes ? » demanda Jaime.

Godefroy fit un signe à l'adresse des cavaliers qui attendaient là-bas, près de la porte retombée :

« Approchez, messieurs ! Voici un jambon dont vous me direz des nouvelles. Quant au vin... »

Il éleva la voix :

« Marthe ! Du vin, en abondance ! »

Une femme de petite taille entra dans la pièce. Elle sourit, mais son sourire restait crispé :

« Quel vin veux-tu, Godefroy ? »

Celui-ci lui prit la main, la présenta à Morelo :

« Monseigneur, voici Marthe, mon épouse. »

Marthe inclina la tête :

« Doit-on vous dire monseigneur, ou bien capitaine ? Votre habit est celui d'un guerrier. »

Morelo se leva :

« C'est d'abord le vêtement d'un voyageur, dame Marthe. Donnez-moi le nom qu'il vous plaira. Je ne suis pas venu ici pour y chercher des honneurs.

— Considérez que vous êtes chez vous », répondit la femme avec simplicité.

Elle s'éclipsa. Un temps, on entendit ses sabots sonner clair sur les dalles d'un escalier.

Godefroy proposa de nouveau du jambon à Morelo, et questionna :

« Vous vous rendez sans doute à Paris, monseigneur ? »

Jaime secoua la tête :

« Nous sommes arrivés, maître Godefroy.

— Comment cela, « arrivés »...?

— Votre village... c'était le but... et voici que nous l'avons atteint. »

Godefroy passa les doigts dans sa barbe, qu'il avait fournie et blanche. Il ne comprenait pas en quoi son tout petit village pouvait intéresser une ambassade aussi considérable.

Il s'enquit :

« Vous avez donc des messages à me délivrer ?

— Je viens chercher, dit Jaime de Morelo. Pas donner. »

Maître Godefroy pâlit un peu. Qu'allaient lui demander ces hommes ? Il ne possèdait rien, sinon la vie. Et encore était-ce une vie difficile, de celles qui vous déchirent une jeunesse en quelques hivers à peine.

Il articula péniblement :

— Seigneur tout-puissant ! Chercher quoi ?

— Une jeune fille », murmura Jaime.

Les cavaliers se turent, posèrent sur leurs genoux serrés les tranches de jambon. Ils tendirent l'oreille. De ce qui allait se conclure à présent dépendait la justification de tous les sacrifices qu'ils avaient consentis, de toutes les souffrances qu'ils avaient endurées pour parvenir jusqu'en ce hameau perdu de la terre de France.

« Une jeune fille, répéta Morelo. Et je supplie Dieu, maître Godefroy, de faire en sorte qu'elle vive encore. »

Marthe, qui venait d'entrer avec une cruche en terre dans chaque main, s'appuya au chambranle de la porte. Elle avait le cœur battant.

La vache s'agita un peu, et gémit.

Et à travers la fumée de plus en plus dense, Jaime de Morelo marchait. Il allait d'un mur à l'autre, de son pas tranquille, les bras croisés sur la poitrine : il n'avait jamais pu s'exprimer autrement qu'en marchant.

Il dit, en détachant chaque mot :

« J'ai des documents, que je vous remettrai. Ils m'accréditent auprès de vous, maître Godefroy. Mais surtout, ils prouvent le bien-fondé de ma requête. »

Godefroy cria presque, tant sa tension était grande :

« Quelle requête, à la fin ?

— Une jeune fille de votre village est apparentée au prince de Cabiosco. »

Marthe tressaillit. Un nom lui échappa :

« Anne. Anne-Sans-Coin. »

Morelo pencha la tête sur le côté :

« Sans-Coin ?

— Le père de la petite a construit lui-même sa maison, expliqua Godefroy. Etrange demeure, en vérité, puisqu'elle est toute ronde. Oui, sans un seul angle. Une maison sans coin, monseigneur. D'où ce surnom... »

L'Espagnol sourit :

« Anne est, en effet, le prénom de la jeune fille que je réclame. »

Godefroy jeta dans la cheminée quelques plaquettes de tourbe. Et le feu se mit enfin à crépiter.

Il dit, à voix basse, comme s'il se parlait à lui-même :

« Je croyais qu'il s'agissait de... d'une légende ! On raconte, par ici, qu'une femme noble est venue d'Espagne, portant en elle un enfant. Son nom est demeuré ignoré. La « légende » ajoute que cette femme mit au monde une fille et mourut en couches. Son époux, un brave garçon de chez nous, n'a jamais voulu parler. La fille, ce serait... Anne-Sans-Coin ?

— Evidemment », dit Morelo avec un peu d'agacement dans le ton.

Pour lui, cette histoire n'avait rien de légendaire. Il la connaissait par cœur. Il avait même l'impression de l'avoir toujours sue.

Il reprit :

« Le prince de Cabiosco est très malade, il réclame la présence de la jeune fille à son chevet. Voilà. C'est tout.

— Qui est ce prince ? » osa demander Marthe.

Jaime de Morelo s'approcha de la femme. Il la prit par les épaules :

« Le grand-oncle d'Anne Sans-Coin. Il sait que sa petite nièce vit ici. C'est lui qui m'a indiqué la route à suivre. Malgré la guerre contre les Arabes, nous recevions parfois des nouvelles de l'extérieur. »

Puis il releva les yeux. Une extraordinaire flamme passa dans son regard — et nul ne pouvait comprendre la flamme, ni d'où elle jaillissait.

Il dit encore :

— Le prince Enrico... Un prince qui va bientôt mourir, et que j'aime, et que je sers. Et qui m'a prié de conduire jusqu'à lui une jeune fille, pour qu'elle le rafraîchisse un tout petit peu.

— Pour qu'elle... Comment dites-vous ? »

Jaime de Morelo répondit, grave et sévère :

« On ne discute pas les dernières volontés d'un vieillard. Et surtout, on ne cherche pas à les comprendre. »

26

A cet instant, venu du plus profond de la nuit blanche, parvint le hurlement des loups.

Un tremblement parcourut le grand corps allongé de la vache.

« Dieu ! s'écria Marthe. Voici les loups ! »

Elle se précipita vers Jaime de Morelo :

« Monseigneur, aidez-nous, vos hommes et vous... »

Godefroy intervint :

« Du calme, Marthe. Ce n'est pas la première fois que nous avons les loups à notre porte. Nous en sommes toujours venus à bout, n'est-il pas vrai ? Dans ce cas-là, tout le monde ici sait parfaitement ce qu'il convient de faire : bloquer la porte et rester chez soi ! »

Il marcha vers la porte, pour en abaisser la lourde poutre transversale. Mais Jaime l'arrêta :

« Non, maître Godefroy. J'ai besoin de sortir. »

Le chef du village écarquilla les yeux :

« Vous n'y pensez pas... ?

— Je dois voir la jeune fille.

— Vous la verrez demain, monseigneur !

— Dès ce soir », dit Morelo comme s'il n'avait pas entendu.

Godefroy, maintenant, avait comme des sanglots dans la voix :

« Mais, les loups, monseigneur, les loups !

— Je suis armé », dit Jaime.

Marthe se pendit à son manteau, qu'il venait d'enfiler :

« Pourquoi ne pas attendre ? »

L'Espagnol se dégagea, repoussant la femme avec douceur :

« Parce que je repars dès demain. La jeune fille aura besoin de toute cette nuit pour se préparer à m'accompagner. »

Godefroy se mit à secouer la tête violemment, comme un homme qui voudrait se débarrasser d'une idée mauvaise qui lui bat contre les tempes :

« Autre folie ! Epuisés comme vous l'êtes tous ! Enfin, puisque je vous invite... à rester... oui, oui... quinze jours si vous le désirez ! »

Morelo posa son regard sur maître Godefroy :

« Taisez-vous. Avez-vous déjà oublié mes paroles ? A Cabiosco, le prince va mourir. Et vous, vous croyez que la mort attendra ? »

Il cria soudain, avec une effrayante violence :

« Si cela ne dépendait pas d'un cheval et d'une petite fille, je serais déjà en route ! »

Se tournant vers ses compagnons, il jeta un ordre bref :

« L'un ou l'autre, avec moi ! »

Domenico s'avança. Il redoutait les loups. Mais il redoutait encore davantage de céder à sa propre peur.

Il ne ventait plus. La neige tombait à la verticale absolue.

Une fois dans la rue, Jaime de Morelo se mit à rire.

« Que vous arrive-t-il ? s'enquit Domenico.

— La peur des hommes est la chose la plus grotesque du monde, expliqua Jaime. Que craignent-ils ? De perdre leur vie ? Mais, Domenico, qu'est-ce que la vie ?

— Une chose bien agréable », dit le jeune homme.

Alors, Morelo cessa de rire :

« Pas pour moi. »

Il s'enfonça dans la nuit, répétant :

« Non, vraiment, pas pour moi. »

Domenico lui emboîta le pas. Il se demandait pourquoi Jaime de Morelo trouvait à l'existence si peu d'intérêt. Et plus il y réfléchissait, moins il comprenait.

Mais il décida que penser était dangereux, avec ces loups, tapis, peut-être, derrière l'angle d'un mur, guettant l'approche des deux hommes.

Domenico tira sa dague du fourreau.

Le village résonnait des hennissements des chevaux, qu'affolait la présence des fauves. On les entendait heurter de leurs sabots les murs des granges où les habitants les avaient conduits.

Parfois, les chiens entraient dans ce concert des animaux pris de terreur. Ils poussaient alors de longs gémissements aigus, qui s'achevaient par une sorte de hoquet qui faisait courir un frisson sur l'échine de Domenico.

Jaime de Morelo allait sans hâte.

« Savez-vous où habite la fille ? » demanda Domenico.

Morelo répondit, sans se retourner :

« Une maison ronde, cela doit être aisé à trouver, tu ne crois pas ? »

Le jeune garçon se mordit les lèvres :

« C'est vrai. »

Morelo eut un bref sourire :

« Tu parles, tu parles... et tu ne réfléchis pas ! »

Et soudain, comme ils allaient atteindre l'orée du village, la maison leur apparut. Ses murs de torchis sombre, veinés de lattes de bois, tranchaient sur l'immense blancheur des collines.

« Peut-être dorment-ils ? murmura Domenico.

— Nous les réveillerons. »

Jaime de Morelo s'avança, chercha la porte. Ses pas, dans la neige, produisaient un bruit étrange, un peu comme un grincement.

Il frappa, de son poing ganté. Mais rien ne se produisit.

« Voulez-vous que j'appelle ? » suggéra Domenico.

Morelo secoua la tête :

« Laisse à la jeune fille le temps de se vêtir. Sans doute était-elle déjà couchée. »

Au bout d'un moment, une voix claire demanda, derrière la porte :

« Qui est-là ?

— Jaime de Morelo, de la ville de Cabiosco. Ouvrez. »

Plus lointaine, une voix d'homme interrogea, anxieuse :

« Ouvrir ? Et pourquoi ? Que voulez-vous ? Est-ce que vous n'entendez pas les loups ? Et puis, si vous êtes des voyageurs, sachez que je suis pauvre. Très pauvre. Dieu sait que je n'ai rien à donner.

— Père, reprit alors la voix claire, je vais tout de même leur ouvrir. »

Jaime de Morelo dévisagea la jeune fille qui se tenait sur le seuil, une torche à la main : elle

30

s'était enveloppée dans un lourd manteau de chèvre, qui dissimulait les formes de son corps. Ses yeux étaient clairs et, d'entre ses lèvres entrouvertes, sortait une buée légère à cause du froid de la nuit.

« Soyez les bienvenus », dit-elle à voix presque basse.

Jaime de Morelo fit un signe à Domenico. Les deux hommes entrèrent. La jeune fille, lentement, referma la porte derrière eux.

La maison ne comportait qu'une seule pièce, vaste et ronde. La cheminée se dressait au milieu. Non loin, il y avait un grand lit à six places, comme on en trouvait ordinairement à cette époque dans les habitations paysannes : un lit fabriqué par le propriétaire des lieux, à l'aide de poutres mal équarries.

A la lueur dansante de la torche, Jaime aperçut une forme étendue. Il s'approcha :

« Pardonnez-moi. Il est tard, et... »

L'homme allongé fit effort, se souleva sur un coude et plissa les paupières :

« Je vous préviens, j'ai oublié tout ce qui touche au passé. »

La jeune fille, pendant ce temps, s'était penchée sur un coffre bas. Elle en avait retiré une jarre, des écuelles. Avec simplicité, elle offrit à Morelo et à Domenico de boire un peu de lait :

« Il est tiède. Je mets de la paille dans le coffre, et la jarre dans la paille, comme dans un nid. »

Jaime de Morelo lui sourit :

« Merci. Vous vous appelez Anne, n'est-ce pas ? »

Elle acquiesça. Puis, désignant l'homme couché :

« Et voici mon père. Il vous a dit la vérité, tout à l'heure : nous sommes pauvres. »

Elle secoua la tête, comme pour chasser une vision un peu triste, et reprit :

« Mais, après tout, qui ne l'est pas, dans cette région ? »

Morelo dit, grave :

« Le monde entier est pauvre, mademoiselle. »

Elle soupira :

« Ici, en plus de la misère, nous avons cet hiver qui n'en finit pas. La neige, le gel qui brûle les semailles pire qu'un feu. Et les loups.

— Etre pauvre au soleil, intervint Domenico, cela n'a rien de très réjouissant non plus. Peut-être est-ce pire. On regarde le soleil, et l'on se demande pourquoi il ne nous offre pas quelque chose en plus de sa lumière. Et... lui aussi sait s'y prendre pour griller les jeunes pousses. »

Anne s'assit sur le rebord du lit, serra frileusement le lourd manteau contre elle :

« Cabiosco... vous venez de Cabiosco... Mais où est Cabiosco ? »

Morelo allait répondre, quand le père prit enfin la parole :

« En royaume espagnol. Je t'ai déjà parlé de Cabiosco. Et même, ne t'ai-je pas dit que j'avais écrit là-bas pour donner des nouvelles de ta naissance ? »

Elle prit la main de son père :

« Il y a si longtemps ! Pardonne-moi, mais je croyais que c'était une légende. Un conte, pour m'aider à m'endormir... ou pour me faire rêver ! »

Jaime de Morelo se détourna :

« Vous allez bientôt pouvoir constater de vous-même que la ville de Cabiosco est bien réelle. »

2

UNE déchirure des falaises, et tout leur apparut : tout cela qui tremblait doucement dans la chaleur. La plaine avant la ville, puis la ville elle-même, et la lueur bleue de la mer.

Les cavaliers s'arrêtèrent : ils étaient arrivés. Certains fermèrent les yeux, remerciant Dieu de les avoir reconduits sains et saufs. Il y avait des oiseaux dans le ciel, oiseaux de mer et oiseaux des champs, qui planaient, blancs ou noirs, et d'autres couleur de rouille.

Face au soleil déjà haut, les hommes clignaient des paupières, cherchant à reconnaître les détails du paysage.

« Anne, dit Morelo en se retournant, approchez-vous. »

La jeune fille fit avancer son cheval auprès de celui de Jaime.

« Voici Cabiosco, dit-il avec de la joie dans la voix. Le pavillon du prince flotte encore : le vieillard a trouvé la force de tenir ! »

Anne inclina la tête. Une vapeur subtile confondait les angles et la cité apparaissait comme un mirage prêt à s'évanouir.

Morelo reprit :

« Vous chevaucherez près de moi. A présent, il est inutile de pousser les chevaux. Dans une heure au plus tard, nous entrerons dans les faubourgs. »

Derrière lui, l'escorte s'était rangée en ligne. Portées par le vent, des odeurs, alors, passèrent sur eux : odeur des champs de blé qui sentaient le pain par avance, odeur des fruits doux, et celle encore, toute humide et glissante, des poissons séchant sur des algues.

Un sentiment d'angoisse s'empara de la jeune fille. Soudain, elle se mit à songer à son père, au village sous la neige dont elle s'était arrachée, le cœur battant et l'esprit vide. Tout ce temps infini qu'avait duré la longue chevauchée, Anne s'était efforcée de n'y pas penser : elle avait tenté de montrer un courage égal à celui des cavaliers, face aux dangers de la route. Elle y était parvenue, forçant l'admiration de ces hommes rudes.

Le jeune Domenico, surtout, lui avait témoigné très vite un sentiment d'affection fraternelle : le soir, il se couchait le dernier, s'assurant au préalable qu'Anne ne manquait de rien, que sa couverture était assez épaisse, que les fougères rassemblées en oreiller étaient encore souples.

Lorsque l'un des cavaliers se blessait — et cela arrivait chaque jour, tant les hommes et les montures étaient las, tant les chemins étaient escarpés — Anne aussitôt s'empressait.

Jaime de Morelo protestait :

« Remontez en selle ! Ménagez vos forces, au

nom du Ciel ! Nous sommes si loin du but... »

Elle répondait, calme et sûre d'elle :

« Écoutez, monseigneur, vous me conduisez auprès d'un prince malade. Ce prince, il faudra bien que je le soigne. Alors, pourquoi ne pas commencer dès maintenant par soulager ceux qui le servent ? »

Anne avait quitté son village au milieu de l'enthousiasme général : pour les habitants, éblouis par les costumes des cavaliers, par la richesse de leurs étendards et par la finesse de leurs chevaux, il ne faisait aucun doute que la petite Anne-Sans-Coin s'élançait vers un avenir rutilant, joyeux, d'une splendide beauté.

Maître Godefroy, quelques instants avant le départ, l'avait entraînée à l'écart :

« Anne, plus tard, quand ce prince sera mort... alors, souviens-toi de nous. Si tu le peux, reviens. »

Elle avait souri, vaguement ironique :

« Traînant derrière moi des chariots remplis d'or ? Maître Godefroy, vous êtes le meilleur des hommes après mon père, mais je crois que vous n'avez pas compris. Je m'en vais là-bas pour servir, non pour hériter. »

Le chef du village avait grommelé :

« Oui, bon... enfin, tu verras bien... une fois sur place... il faudra bien que ces gens-là te prouvent leur reconnaissance... Et puis, n'oublie pas. Cela paraît insensé, mais le prince en question est de ta famille. »

Seul, le père d'Anne n'avait rien dit. Il avait assisté au départ de sa fille en silence, les bras croisés sur sa poitrine, les yeux à demi clos.

On entrait dans le blé. Un chemin blanc courait à travers les épis cassants, mal nourris par un sol trop âpre. Des socs de charrues, où la terre rouge s'attachait, unifiant le métal et le bois, gisaient le long du sentier. Car ce jour était un dimanche, et tout reposait. Anne s'émerveillait à voix haute de ce que le blé consentît à pousser sur un terrain aussi sec, parcouru de cassures, avec le soleil par-dessus, qui remplissait toutes choses.

« En fuyant, expliquait Morelo, les Arabes ont incendié les champs. Sans le vouloir, ils les ont fertilisés. La haine, parfois, parce que Dieu le veut ainsi, se transforme en bienfaits. »

Les blés duraient, ondulant doucement, brisant le vent chaud venu de la mer. De temps à autre s'ouvrait un emplacement circulaire, préparé pour le fléau. Les chevaux plongeaient leurs naseaux parmi les épis, et hennissaient.

Les cultures firent ensuite place à une prairie lourde, aux herbes étonnamment vivantes. Une fraîcheur bienfaisante montait.

« Oui, fit Morelo, Cabiosco est bâti entre la mer et une rivière. Je devrais dire « le fleuve ». Nous avons établi une dérivation, profonde et large, qui descend jusqu'au port. Nous construisons les navires là où se trouvent les arbres nécessaires à leur charpente. Il est plus commode de faire descendre une rivière à un bateau presque achevé qu'à des arbres peu maniables. »

Il eut un étrange sourire, ajouta :

« Je vous montrerai les navires que nous faisons ici. Ils sont destinés à traverser l'Océan. »

Elle allait poser une question, mais il lui mit la main sur le bras, murmurant :

38

« C'est... plus ou moins un secret. Parlons d'autre chose. »

Puis, une troupe armée vint à leur rencontre, bannières largement déployées. Morelo mit aussitôt pied à terre ; il s'avança vers un homme de belle taille, qui semblait être un officier de haut grade :

« Antonio ! »

Il le tint embrassé, longuement, tandis que les cavaliers poussaient des cris de joie.

L'officier se mit à rire :

« Tu es extraordinaire, Jaime ! Tu avais annoncé ton retour pour le vingt-trois mai... »

Morelo poursuivit, riant à son tour :

« ...et nous sommes le vingt-trois mai ! Le véritable progrès des voyages, c'est aussi de savoir se diriger dans le temps. »

Ils allaient entre deux rangées de demeures blanches dont les murs donnant sur la rue étaient presque aveugles — toutes les ouvertures regardant sur les patios intérieurs. On n'entendait que le martèlement des sabots sur le sol de terre battue.

Anne se sentait seule ; mais elle n'en éprouva aucun désarroi : simplement quelque chose comme un engourdissement de toute sa pensée.

Elle avait à peine dix-sept ans. Et le monde, en quelques semaines, s'était déroulé devant elle, avec ses fastes et ses monstruosités, ses réussites et ses erreurs. De là, lui venait une sorte de vertige.

Les cavaliers pénétrèrent dans la cour rectangulaire du palais princier, et la jeune fille descendit de sa monture :

« Tout dort », murmura-t-elle.

Morelo lui sourit :

« N'oubliez pas que nous sommes ici chez un

malade. Il a besoin de calme et de silence. Mais, c'est vrai, il y a des années que ces murs n'ont pas entendu le moindre éclat de rire, la plus lointaine musique de danse. »

De fait, les soldats parlaient bas. Et les dalles étaient jonchées d'un épais tapis de feuilles de menthe, qui étouffaient les piétinements des chevaux.

Un homme aux cheveux gris s'approcha. Morelo le présenta :

« Anne, voici Augusto de Cronatia, chef de la Maison du prince. »

Il se détourna :

« A partir de maintenant, vous aurez affaire à lui. Plus à moi. »

Elle faillit lui crier « non », car elle s'était habituée à lui, à sa sécheresse un peu hautaine, à ses mains blanches et longues. Il était un trait d'union entre aujourd'hui et hier. Elle vacilla, mais mit aussitôt le début de malaise sur le compte du soleil accablant et de la fatigue du voyage.

Augusto de Cronatia s'inclina devant Anne, et elle remarqua que la dentelle de la collerette du serviteur était fanée — et même, par endroits, déchirée.

« Je crois, dit Cronatia, que le prince ne vous verra pas avant demain. Toutefois, il est averti de votre arrivée. Cela lui a donné une grande émotion. A présent, il repose. Parlez-vous notre langue ?

— A peine, monsieur. »

Cronatia sourit :

« Au palais, chacun, y compris les domestiques, parle et entend le français. »

40

Il s'inclina de nouveau, invita la jeune fille à le suivre. Elle se retourna, surprit le regard de Jaime de Morelo posé sur elle. Elle lui adressa un petit signe de la main, mais il baissa la tête sans répondre.

Augusto de Cronatia s'engagea dans un couloir voûté :

« Je vous conduis à votre appartement, où un dîner vous sera servi. Et puis, si vous n'êtes pas trop lasse, vous voudrez bien procéder à l'essayage de vos toilettes. »

Elle tressaillit :

« Mes... toilettes ? Mais, monsieur, je n'ai apporté aucune toilette, pour la raison que je n'en possède pas.

— Je sais. J'ai tout prévu. Oh ! ne vous attendez pas à des merveilles : nous vivons très simplement. Ce sera correct, sans plus.

— La guerre, dit-elle alors, a dû changer bien des choses. C'est la première fois que je vois ce que peut faire la guerre »

Cronatia se courba, entreprit de gravir les degrés d'un escalier de bois étroit, et qui craquait. Il s'étonna :

« Vous n'allez pas me dire que depuis l'heure de votre naissance aucune guerre n'a ravagé votre pays ? »

Cela la fit rire. Elle expliqua :

« En France, j'habite un si petit village. Juste sous l'ombre énorme d'une montagne, déjà presque les Alpes... Personne n'y passe jamais. Monseigneur Jaime de Morelo et ses hommes ont eu beaucoup de mérite à me découvrir. Et beaucoup de peines, aussi. »

Cronatia s'arrêta, reprenant haleine. Par une

étroite meurtrière, munie d'une vitre plombée, se voyait l'amorce d'un jardin en terrasses.

« Jaime de Morelo est un homme étonnant, fit-il. Le monde le passionne par sa vastitude. Je suppose qu'il est devenu moine par esprit de pénitence, et... »

Anne sursauta :

« Que dites-vous ? Moine ? Pourquoi moine ? Il n'est pas moine, il est... »

Elle s'arrêta décontenancée. Cronatia se retourna vers elle :

« Ainsi, vous l'ignoriez ? Il ne porte pas l'habit de son ordre, cela est exact. Mais mademoiselle, les événements récents ont bousculé tant de choses. Et puis surtout, Jaime de Morelo est un savant. Les savants ne s'embarrassent pas de ces questions désuètes d'uniformes... Vous a-t-il dit qu'il supervisait les travaux de construction des grands navires qui, bientôt, quitteront Cabiosco ? C'est son œuvre, mademoiselle. Son œuvre et celle de Toth.

— Toth ?

— Daniel Toth. Il porte le titre d'ingénieur naval. Nul doute que vous le rencontriez, un jour ou l'autre. »

Cronatia reprit l'ascension de l'escalier, ajoutant :

« Un bel homme, ce Daniel Toth. Toujours vêtu d'un ample manteau de laine blanche... oui, de la laine blanche. Même au plus fort de la chaleur de midi. Mais, venez... »

Anne entra dans une pièce vaste et chaude, située sous les toitures. Une demi-obscurité, plutôt agréable, empêcha la jeune fille d'en distinguer les aménagements. Trois femmes, d'une corpulence remarquable, cessèrent aussitôt leurs bavardages et s'avancèrent. Cronatia les désigna d'un geste large

« Dona Salerna, Doña Jovinez, Doña Calmonte... Elles sont à votre service. Et si vous avez quelque motif de vous plaindre, c'est à moi que vous vous adresserez.

— Comme c'est grand ! fit Anne. Cette chambre ! Cette ville ! »

Augusto de Cronatia sortit en reculant. Anne demeura seule avec les caméristes qui attendaient ses ordres.

« Que vous êtes belle, dit brusquement Doña Calmonte. Ces toilettes, vous les porterez à ravir. »

Du doigt — un doigt boudiné — elle montra une masse d'étoffes éparses sur le lit. Anne caressa les robes. Elle se demandait de quelle façon congédier les femmes de chambre sans les blesser.

Jusqu'à présent, c'était elle qui avait pris soin des autres.

Debout, les bras le long du corps, elle découvrait cette pièce où elle devrait, désormais se croire chez elle. En plus du lit, l'ameublement comprenait sept fauteuils à hauts dossiers ouvragés ; dans un angle, on avait installé une espèce d'oratoire. Là, dans un vase d'argent, étaient des fleurs blanches dont les lourdes corolles penchaient déjà vers les dalles pourpres du sol.

« S'il vous plaît, dit Anne, je voudrais prier. »

Doña Jovinez s'inclina :

« Très bien. Nous reviendrons... mettons, dans une heure ? »

Anne s'agenouilla. Et son front touchait les fleurs.

Plus tard, la nuit s'installa. Dans le lointain, des chiens aboyèrent. Puis, il y eut un silence feutré, presque palpable.

Sur les remparts, les guetteurs étaient attentifs à la course rapide des rats sous la lune. Car les rats pouvaient annoncer la vie comme la mort ; la fin d'un cheval malade, ou l'entrée au port d'un bateau aux soutes pleines de provisions.

Assise dans son lit, le dos calé par des oreillers de plume, Anne-Sans-Coin découvrait les choses étrangères qui l'entouraient.

D'abord, il y avait le grondement de la mer ; puis, les pas et les appels brefs des sentinelles au-dessus de sa tête ; l'odeur fanée des rideaux et le parfum de cire des meubles de bois clair.

Dix sept ans durant, la jeune fille avait connu la hâte des travaux qu'il faut accomplir à l'instant, faute de voir le vent ou la pluie gâcher toutes espérances. Maintenant, on lui demandait de sourire, d'être calme.

Elle finit par se lever, presque mal à l'aise à cause de cette chaleur douce du lit trop confortable. Drapant une couverture autour d'elle, elle gagna l'appui de la fenêtre qui donnait au sud.

Ecartant les voilages, elle contempla les remparts : ils étaient bleus et luisaient par endroits; de loin en loin, elle reconnut les éclairs des hallebardes que portaient les soldats.

Soudain, elle tressaillit : surgissant d'une courette, une forme blanche paraissait glisser. C'était un homme, que suivait un grand chien fauve.

Comme la silhouette passait devant les sentinelles, celles-ci se figèrent.

« On dirait un fantôme, songea la jeune fille. Un fantôme qui ne ferait pas peur... »

Le spectre, de temps à autre, se retournait vers son chien et lui adressait quelques paroles amicales, à voix basse.

Puis, l'inconnu s'arrêta juste sous la fenêtre d'Anne. D'un pli de son manteau blanc, il tira un objet brillant, le porta à ses yeux. Il parut s'absorber dans la contemplation de l'horizon.

« L'horizon, se dit Anne, c'est la mer... Mais que peut-il bien regarder, de l'autre côté de la mer ? »

Brusquement, l'homme se retourna, se sentant observé. Il replia la longue-vue, siffla son chien, et s'éloigna à grands pas.

« Est-ce celui qu'ils appellent Daniel Toth ? » se demanda la jeune fille.

Debout devant sa simple écritoire de sapin, le religieux Jaime de Morelo rédigeait un rapport de voyage à son usage personnel ; il l'agrémentait de cartes des régions traversées, de croquis des essences végétales reconnues aux flancs des vallons, notait la profondeur des rivières franchies, estimait leur débit.

Il arrivait que le visage d'Anne se dessinât en surimpression contre une cascade — alors, le moine passait une main devant ses yeux.

Il reposa sa plume, ferma brusquement son cahier.

« Entrez », dit-il.

Daniel Toth ouvrit la porte. Le grand chien se

mit à danser joyeusement autour des deux hommes.

Morelo hocha la tête :

« Tu ne dors pas ?

— Et vous ? Est-ce que vous dormez ?

— Moi, c'est différent. Tu vois, j'écris. Veux-tu boire ? Avant de partir, il me restait un peu de liqueur, et... »

Daniel l'interrompit :

« Vous avez ramené la femme ? »

Morelo éclata d'un rire franc :

« La femme...? C'est trop drôle ! Une petite fille, oui ! Je suppose qu'elle n'a pas plus de dix-sept ans.

— Donc, c'est une femme.

— Toi et la logique ! fit le moine.

— Comment est-elle ?

— Fatiguée...

— Je voulais dire, comment est-elle en apparence ? »

Morelo s'assit, étendit les jambes devant lui, les pieds en éventail :

« L'apparence, ça ne signifie rien. Elle paraît fragile, extrêmement vulnérable. En le voyant pour la première fois, j'ai pensé « jamais je ne ramènerai ce bébé à Cabiosco, la moindre tempête la souflera comme la flamme d'une bougie usée. »

— Et pourtant...

— Oui ! Pourtant, elle est arrivée jusqu'ici. Et même, je dois reconnaître que plusieurs de mes compagnons lui doivent plus ou moins d'avoir survécu. Brave petite Anne ! »

Daniel Toth dit, avec une sorte de violence :

« Je vois. Elle vous a séduit.

— En effet, avoua Morelo. Je ne m'en cache

46

pas. Tu sais, mon petit Daniel, je commence à songer que nous sommes de maudits orgueilleux, nous autres... Laisse-moi finir ! Nous pensons que les femmes nous sont inférieures.

— Elles le sont, lâcha Toth.

— Je n'en suis plus aussi sûr. »

Le jeune homme se débarrassa de son manteau blanc, et s'assit à son tour :

« Vous, Jaime, vous êtes disposé à rêver à n'importe quoi.

— Attends de la connaître ! »

Daniel sourit :

« Elle était derrière sa fenêtre. Elle regardait...je ne sais trop quoi, d'ailleurs. Les remparts ? La lune ?

— Tu l'as vue ?

— Je l'ai devinée.

— Et alors ?

— Alors, rien », dit Toth.

Jaime de Morelo étendit la main vers une carte en couleurs :

« Bon, nous n'allons pas nous disputer à cause d'une petite fille. Moi, je suis moine. Et toi, tu es déjà fiancé. »

Il rit, ajouta :

« Fiancé avec la mer. Parlons de notre projet. »

Daniel Toth rougit :

« Elle ne m'intéresse pas, votre fille. »

Le moine leva les bras au ciel :

« Cesse de te défendre ! Personne ne t'accuse!»

Le jeune homme se leva, alla jusqu'à la carte :

« Maintenant, j'en suis persuadé. Nos navires seront capables de traverser ceci...

— L'Océan », fit Morelo, songeur.

Toth reprit, avec fougue :

« L'Océan, oui. Aucune vague ne pourra les empêcher de toucher l'extrémité... »

Jaime l'interrompit :

« Combien sont en état de prendre la mer ?

— Aucun. Mais il s'en faut de quelques semaines. Je ne voulais pas achever ce travail sans vous avoir consulté.

— L'architecte naval, c'est toi.

— Celui qui paie, c'est vous. »

Morelo fit un geste d'apaisement :

« Bien ! Très bien ! Demain, je monterai jusqu'au chantier. Le prince est au courant des progrès accomplis ?

— Parle-t-on d'avenir à un homme sur le point de mourir ? Quand Christophe Colomb revint, en mars de l'an 1493, le prince était déjà alité.

— Nous sommes en mai 1494, remarqua Morelo. Plus personne ne doute de l'existence de terres vierges, dans la direction de l'ouest.

— Vous et moi, nous n'en doutons pas. Le prince a bien d'autres soucis.

— Oui, reconnut le moine. Le plus grand des soucis, celui de vivre encore un peu. »

Il passa la main sur ses joues mal rasées, et étouffa un bâillement :

« Nous sommes fous ! Je me dis souvent que nous serons morts, tous les deux, avant que... »

Toth fit face. Ses yeux brillaient :

« J'embarquerai à bord de la première caravelle. Mourir ? Soit, je le veux bien ! Mais pas dans cette ville, devenue un hôpital. »

3

LE LENDEMAIN, peu avant le coucher du soleil, le prince Enrico de Cabiosco ordonna que la jeune fille venue de France descendît le rejoindre au salon d'honneur où il reposait sur un divan.

C'était une salle rectangulaire, au sol et à la voûte tapissés de fresques de mosaïque bleue et blanche. De chaque côté, sur des estrades, se trouvaient des tables longues couvertes de nappes brodées. Sur les murs, au-dessous des fresques, des boiseries s'ornaient de médaillons de bronze doré.

Les fenêtres étroites laissaient entrer comme à regrets la fausse lumière du crépuscule.

Le prince était seul. Il fit signe à Doña Jovinez, qui précédait Anne, de bien vouloir se retirer. Anne s'avança vers la couche, située au fond de la pièce.

« Asseyez-vous », dit Enrico de Cabiosco en désignant un siège bas et sans dossier.

Longuement, il dévisagea la jeune fille ; puis, il lui demanda :

« Comment me trouvez-vous ?

— Pas trop bien, je suppose, dit Anne.

— Pourtant, je vais mieux. Ce n'est pas l'avis des médecins, mais les médecins sont des ânes. Moi, je sais. Moi, j'ai l'habitude de vivre avec moi... J'ai décidé... »

Il eut une quinte de toux. Il attendit qu'elle fût passée et poursuivit :

« J'ai décidé d'aller mieux. Tenez, ce soir, je souperai. »

Anne inclina la tête sur le côté :

« Tout le monde soupe.

— Moi, cela ne m'était pas arrivé depuis... Oh ! il y a des années que je suis malade.

— De quoi souffrez-vous ? »

Le prince rit avec amertume :

« C'est exactement ce que me demandent Leurs Majestés Très Catholiques, de quoi je souffre, pour être incapable d'exercer un contrôle strict de ce qui se passe dans cette région...! Car je suis censé gouverner, administrer ces territoires. Comment donner des ordres, quand on se sent plus faible qu'un enfant ?

— Et que répondez-vous ?

— Que voulez-vous que je réponde, sinon que je n'en sais rien ? »

Il se souleva avec peine, fronça les sourcils :

« Drôle de petite fille ! Pourquoi ne me donnez-vous aucun titre ? Ne vous a-t-on pas appris à vous adresser à un prince ? »

Anne écarta les mains :

« Si. J'ai oublié. Que Votre Altesse me pardonne. »

Enrico toussa de nouveau, et dit :

« Continuez d'oublier. Vous vous forcez, et vous devenez ridicule, un singe dressé. Ne m'appelez pas du tout. D'ailleurs, il y a un peu de mon sang dans vos veines. Etes-vous jolie ?

— Je ne le crois pas.

— Difficile de savoir : il fait si sombre, ici. »

Elle lui sourit, murmura :

« Je n'en ai pas l'air, mais... j'ai très peur de vous.

Il voulut lui prendre la main. Il avait préjugé de ses forces, et son bras retomba :

« Que puis-je vous faire de mal, Anne ? Avez-vous visité la ville ? »

Il n'attendit pas sa réponse, continua :

« Cabiosco est une cité agréable, car ici les jours de froidure sont rares. Et il y a la rivière, et la forêt près de la rivière, pour se reposer des chaleurs. Je connais tout le monde, savez-vous ?... Alors, vous, fatalement, vous êtes ma nouveauté. Surtout, restez assise. Je n'aimerais pas vous voir debout près de moi. Durant le plus fort de ma maladie, des foules étaient là, debout, à mon chevet. J'avais l'impression d'avoir une assemblée de juges près de moi. Que regardez-vous ?

— Je regarde le jour qui tombe », dit-elle simplement.

Le prince ferma les yeux :

« D'habitude, j'ai horreur de cet instant. Nous verrons si vous êtes capable d'écarter... »

Elle l'encouragea :

« D'écarter quoi ?

— Ça n'a pas de nom. La nuit. Les angoisses de la nuit. »

Anne demanda, après un temps de silence :

« Ces cris...?

— Des oiseaux de mer, petite fille. Ils savent que l'obscurité va les empêcher de trouver leur nourriture jusqu'à demain. Alors, ils se plaignent. Je vous le répète : la nuit est un mauvais moment. »

Les yeux clos, le prince semblait assoupi.

Anne scruta la pénombre : le bronze doré continuait de briller, tandis que les boiseries se fondaient en une masse grise, vaguement repoussante.

Alors, lentement, Enrico de Cabiosco ouvrit les yeux. Il avait un regard très beau, à peine voilé. Si proche de lui, Anne apercevait sur sa peau trop tendue des marbrures pâles.

« Vous allez m'aider à guérir tout à fait, dit-il. J'ai besoin de... d'une espèce de source. Un soir, je me suis souvenu de vous : Anne ma petite-nièce...

— Vous ne me connaissiez pas !

— Je me suis rappelé : une partie de ma famille, fuyant les Maures, passant la frontière, entrant dans le royaume de France... »

Il rit, sans retenue. Et ajouta :

« Un jour, il y a longtemps déjà, j'ai reçu des nouvelles de France : on m'annonçait votre naissance. Puis, je n'ai plus rien su de vous. Mais j'ai deviné que vous deviez être douce et fraîche. »

Il parlait à présent comme pour lui-même, avec une étrange exaltation :

« Oui, oui, vous saurez me guérir. Me donner un peu de votre fraîcheur. Les médecins ne savent pas. Ils ne comprennent pas que je brûle, là, au-dedans. Vous, vous comprendrez. Alors, je me lèverai. Je vous prendrai par la main. Je vous montrerai les splendeurs de Cabiosco. Et puis, je vous présenterai des hommes qui vous étonneront. Certains savent tout ce qui touche aux étoiles, à croire qu'ils y sont allés. D'autres connaissent le moyen de se diriger sur la mer. Et il y a ceux qui fabriquent des gaz lumineux, en chauffant des métaux... »

Il retomba en arrière, murmura :

« Je suis épuisé. Sortez, et trouvez quelqu'un pour me monter jusqu'à ma chambre. »

Elle trouva Augusto de Cronatia, qui semblait attendre dans le corridor, appuyé contre le mur, face à une ouverture. Il se hâta vers le salon d'honneur.

Restée seule, Anne passa la tête par l'encadrement de la fenêtre. Le vent soufflait en rafales. La jeune fille trouva merveilleuses cette violence et cette senteur de varech.

Elle s'amusa un long moment du vol heurté des mouettes au-dessus des terrasses.

Quand elle se retourna, les cheveux en désordre et les joues rouges, deux hommes l'observaient en souriant.

L'un deux était le moine Jaime de Morelo, qui dit :

« Anne-Sans-Coin... qui contemple les étoiles en train de naître, comme une très jeune fille. Ou comme un vieil astronome. »

Il se détourna, désigna celui qui l'accompagnait :

« Daniel Toth. Architecte naval, peintre et dessinateur, et puis aussi physicien et chimiste. »

Anne exécuta sa révérence avec un léger retard. Toth portait un manteau sans manches, fermé sur la poitrine par un bijou travaillé. Ce manteau était blanc, avec un capuchon tissé de fils d'or. Il avait des bottes — blanches elles aussi — et Anne se demanda dans la peau de quel animal on les avait taillées.

« Relevez-vous, dit le moine. Il n'y a ici qu'un pauvre frère et un constructeur de barques. »

Toth saisit la main d'Anne, en disant :

« Toute la ville parle de votre arrivée ! Quel important personnage vous faites, mademoiselle ! Le prince vous a reçue dans le salon d'honneur, alors qu'il n'avait pas quitté sa chambre depuis bientôt un an. »

Morelo hocha la tête :

« C'est vrai, Anne, vous lui rendez la santé. »

Elle tressaillit :

« Moi ? Je ne sais même pas comment. »

Daniel lâcha sa main. Il dit, sincère :

« Il suffit que quelqu'un entre, et voici qu'une histoire nouvelle commence. »

Jaime de Morelo passa son bras autour des épaules de l'architecte naval :

« Il ne faut pas raconter de bêtises à cette enfant, Daniel ! Tu vas l'abîmer. Laisse-la telle qu'elle est, humble et si tendre. Viens, je tiens à te montrer une carte que j'ai dressée. Certes, elle comporte un certain nombre d'erreurs, mais il me plairait de te les voir rectifier. »

Comme tous deux s'éloignaient, au lieu de baisser les yeux, Anne les leva. Le moine et le jeune homme vêtu de blanc se glissèrent derrière une portière de tapisserie. On ne les vit plus.

Anne entendit alors un grondement, très loin sur la Sierra. Passait un orage, comme un trait qui souligne un mot important.

La jeune fille releva les pans de sa robe, et gagna sa chambre, en hâte.

« Doña Jovinez, je vous en prie...!

— Il est tard, dit la duègne. Et même, c'est la nuit tout à fait. Vraiment, je dois allumer ces chandelles.

— Mais non, laissez !

— Comment pourrai-je peigner vos cheveux, dans l'obscurité ? »

Anne eut un geste d'agacement :

« Eh bien, laissez mes cheveux tranquilles. Pour qui voulez-vous me coiffer ? »

Doña Jovinez pinça les lèvres :

« Pour respecter la règle ! » fit-elle avec humeur.

Anne lui frôla la main :

« J'ai trop longtemps regardé le soleil et la mer, aujourd'hui. Mes yeux sont fatigués. Le prince dort, n'est-ce pas ?

— Il dort, admit la gouvernante.

— Alors, il est temps que je dorme aussi. Allez vous coucher, je n'ai plus besoin de vous. Prévenez qu'on ne me monte pas de collation ; je n'ai pas faim. »

Doña Jovinez s'inclina. Elle allait sortir, quand Anne l'arrêta d'un geste :

« Une seule question. Dans quelle sorte de peau peut-on tailler des... des bottes blanches ? »

La duègne ne put retenir un mouvement de surprise :

« Ma foi, je n'en sais vraiment rien ! Est-ce que ce genre de bottes existe seulement ? »

Elle sortit. Anne murmura :

« Oui, il existe. »

La jeune fille ouvrit les fenêtres de sa chambre. Elle avait besoin d'air. Très loin, du côté du port, le vent portait une voix qui annonçait les heures. La nuit sentait les feux de bois et l'eucalyptus.

Anne était sans joie ni tristesse. Elle n'était rien d'autre qu'un corps de femme encore enfant, avide de se reposer.

Et elle s'amusait à aiguiser ce désir :

« Comme je serai bien, dans un moment, sous la couverture lourde. »

Puis, elle frissonna et décida de se coucher enfin. Auparavant, agenouillée au pied de son lit, elle pria Dieu de lui accorder la grâce d'être ici à sa place.

Elle s'endormit d'un sommeil entrecoupé de songes brefs. Elle s'éveilla plusieurs fois, parce qu'un pas sonnait plus clair sur le pavement du rempart ; ou bien, c'était l'agitation de la mer ; ou encore une cloche au son mat, incertaine.

Et de nouveau, elle sombrait.

Parfois, ce n'étaient pas des sons qui lui faisaient ouvrir les yeux, mais des odeurs : parfums de cire, insistance des pierres mouillées d'algues ou de mousse, plantes grillées qui paraissaient s'étirer en crissant, senteur des vasques à nénuphares, relents résineux des bois fendus qui séchaient : des arbres ouverts par le milieu. La lune jouait sur leurs fibres les plus jeunes, brillantes comme du verre.

Soudain, elle entendit gratter à sa porte. Elle se dressa, dit :

« Est-ce vous, doña Jovinez ? »

La gouvernante apparut, toute dolente, portant un chandelier.

« Mademoiselle, c'est...

— Eh bien, parlez ! Le prince me demande ?

— L'architecte naval Daniel Toth... il vous prie de bien vouloir le recevoir. Je lui ai fait remarquer...

—. Quoi donc ?

— Mon Dieu, dit doña Jovinez, l'heure tardive. Tout simplement l'heure tardive. Mais je peux le renvoyer. Je trouverai un prétexte. »

Anne hésita, imperceptiblement. Puis, prenant sa respiration à fond :

« Qu'il vienne immédiatement. Et laissez-nous seuls. »

Doña Jovinez sembla, d'abord, ne pas comprendre. Elle murmura :

« Vous et... cet homme ? Maintenant ? »

Anne sourit :

« Ce n'est pas très convenable, n'est-ce pas ? C'est là ce que vous pensez ? Doña Jovinez, soyez rassurée... Je ne suis pas une fille de haute noblesse, moi. Juste une fille de la montagne. Et souvent, il m'est arrivé d'ouvrir ma porte en pleine nuit, pour des pèlerins égarés. Ou affamés. Ils étaient hommes infiniment plus ... « dangereux » que votre architecte tout de blanc vêtu ! Allez, doña Jovinez. »

Elle se leva, et se couvrit d'un long châle.

Daniel Toth resta immobile, près de la porte. Et il dit, regardant autour de lui :

« On vous a donné une chambre admirable.

Elles sont rares. Autrefois ce palais était une forteresse. On n'y logeait que des soldats et des canons.»

Anne, à son tour, parcourut la pièce du regard:

— Ici, il y avait des choses de ce genre ? Mais, ne restez pas dans l'ombre, monsieur l'Architecte. Avancez. Vous désiriez me parler ? »

Il s'approcha d'une tapisserie, la caressa :

« Je ne suis pas le seul. A Cabiosco, chacun voudrait savoir quelle sorte de... d'ustensile vous êtes ! Oh ! je vous demande pardon : « ustensile », ce n'est sans doute pas le mot qui convient. Parfois, je manque de vocabulaire. Vous savez, je ne suis ni Français ni Espagnol. »

La jeune fille se mit à rire :

« Les ustensiles servent dans les cuisines. Qui sait ? Peut-être finirai-je dans les cuisines, moi aussi ? J'aime la vertu d'humilité. »

Toth secoua la tête :

« Vous serez utile, à Cabiosco. Avant de vous croiser tout à l'heure, je pensais que vous étiez du temps perdu. Comprenez-moi. Morelo est resté absent si longtemps, à cause de vous. Treize semaines ! Plus de cent jours pendant lesquels le travail des bateaux n'a pas avancé. Je vous en voulais. Je ne comprenais pas qu'un prince ait besoin d'une petite fille.

— Personne n'a besoin d'Anne-Sans-Coin. »

Il hésita un moment avant de répondre. Il fixait la tapisserie avec le même intérêt que si elle eût représenté un tableau vivant : vrai renard cerné par de vrais chiens, menés par de vrais chasseurs montant de vrais chevaux. Enfin, il dit :

« Je suis de race juive, mademoiselle. Nous autres, les juifs, nous n'admettons pas le hasard...

58

Les coïncidences... nous y voyons le dessein de Dieu. Si vous êtes ici, c'est que quelqu'un a effectivement besoin de votre présence. »

Elle lui sourit :

« Vous êtes le premier juif que je vois. Et hier, j'ai vu la mer pour la première fois de ma vie. Quelle ignorante j'étais ! »

Il lui rendit son sourire :

« Vous et moi... »

Il s'arrêta brusquement, comme s'il éprouvait une gêne. D'une inclinaison du visage, elle l'incita à poursuivre :

« Oui, reprit-il nous sommes différents. Différents de tous les autres. Moi, parce que je suis juif. Vous, parce que vous êtes très jeune.

— Il n'y a pas de jeunes, à Cabiosco ?

— Non, mademoiselle. De tout petits enfants, mais pas de jeunes.

— Mais... c'est absurde, voyons ! »

Il baissa les yeux :

« La guerre. Les Maures ont fait des ravages, avant de lever le camp. Je le sais mieux que personne : mon père, bien que non musulman, a combattu de leur côté. Il a mis une partie de sa science à leur service, leur offrant des techniques physiques et chimiques. Il m'avait appris à calculer et à dessiner. Jaime de Morelo m'a trouvé sur le champ de bataille, il a voulu me tuer, puis il s'est ravisé. Il m'a pris à son service. En deux ans, il a fait de moi ce que je suis aujourd'hui. Un chrétien et un fidèle serviteur du roi et de la reine d'Espagne.

— Vous ne regrettez rien ? demanda doucement Anne.

— J'ai assisté à l'agonie de mon père. Deux

flèches et un coup de lance. J'ai choisi la paix.

— Et la paix est espagnole ?

— Je l'espère », dit-il.

Il s'assit sans en demander la permission, ayant choisi le moins confortable de tous les sièges qui meublaient la pièce, mais le plus proche du lit de la jeune fille qui s'était recouchée.

Il reprit :

« Je ne parvenais pas à dormir...

— Moi, avoua-t-elle, je dormais... mais si mal!

— Alors j'ai pensé...

— Et vous avez bien fait, monsieur l'architecte. »

Il se renversa en arrière, la nuque appuyée contre le dossier sculpté :

« Tout à l'heure, quand je vous ai rencontrée, je me suis dit :« il faut que je la revoie ». Je... Je crois que nous devrions essayer de nous aider l'un l'autre. »

Anne parut étonnée :

« Nous aider ? Vous êtes un personnage puissant !

— Jusqu'à quand ? Oh ! évidemment, vous ne savez pas encore ce qui se passe en Espagne.

— Non, reconnut-elle. Je suis...neuve.

— Un tribunal spécial s'est érigé, avec la bénédiction et les encouragements du Saint-Père le pape. Le tribunal de l'Inquisition.

— Il juge les voleurs ?

— Il juge ceux dont les croyances ne sont pas conformes à celles de l'Eglise catholique. »

Anne saisit la cruche posée sur le bord d'une table et but une gorgée d'eau fraîche. Elle questionna :

« Que risquez-vous ?

— Rien, dit-il.

— Alors... ?

— J'avais besoin de dire à quelqu'un... d'avouer que j'avais peur. »

Il se leva, s'inclina :

« Oubliez tout cela. Vous m'avez fait du bien. Des hommes, des femmes ont été arrêtés et éxécutés parce qu'ils étaient de la même race que moi. Certes, l'inquisition n'a pas encore franchi les portes de Cabiosco. Mais cela viendra fatalement, un jour ou l'autre. Ce jour-là...

— Que peut-on vous reprocher ? N'assistez-vous pas à la messe ?

— Je suis chrétien, et, qui plus est, je crois sincèrement en Jésus-Christ, ce qui n'est pas le cas de tous les chrétiens, dont beaucoup font simplement mine d'avoir la foi ! Mais... Oh ! je vous en prie, ne m'en veuillez pas... J'ai demandé à vous voir, parce qu'il fallait que je parle à un être vivant. »

Il rit :

« J'ai un chien, mais il a beau être intelligent, il ne l'est pas assez pour comprendre ces choses étranges et terribles.

— Vous croyez que je les comprends, moi monsieur l'architecte ?

— Je n'en sais rien. En tout cas, vous m'avez écouté. Nous nous connaissons un petit peu mieux, maintenant. Si quelque chose de grave m'arrivait, priez pour moi.

— Il ne vous arrivera rien de grave. »

Il sortit, sans ajouter un mot.

Anne souffla les chandelles que Doña Jovinez

avait apportées en introduisant Daniel Toth.

La jeune fille se tourna sur le côté. Elle était pensive : elle ne saisissait pas très bien le sens de tout ce que lui avait dit l'architecte naval. Elle en retenait seulement ceci : sous son apparence d'homme considérable, vêtu de blanc immaculé comme les archanges de certaines peintures qu'elle avait vues aux murs des églises, Daniel Toth était encore plus fragile et vulnérable qu'elle. Car lui, il connaissait la peur, et elle l'ignorait.

Elle murmura :

« Pourquoi m'a-t-il choisie...? »

4

« APPROCHEZ, petite fille »

Enrico de Cabiosco, tout au fond de la salle claire où flottait pourtant comme un brouillard échappé aux tentures et aux velours des fauteuils, lui adressait un signe de la main.

Anne s'avança donc, entre une double rangée d'hommes et de femmes qui s'inclinaient sur son passage, heureux de retrouver les gestes d'autrefois. La jeune fille sentit une odeur d'étoffes froides, humides, n'ayant pas été portées depuis longtemps. Elle remarqua aussi la pâleur des assistants — sans doute avaient-ils trop forcé sur la poudre de riz.

Elle eut la sensation, au fur et à mesure qu'elle allait vers le prince, d'éveiller un monde endormi depuis des siècles. Et peut-être, après tout, était-ce la vérité.

« Bonjour, dit Enrico de Cabiosco.

— Bonjour », répondit Anne.

Elle ajouta, maladroitement :

« Comment allez-vous ? »

Cela le fit rire :

« Beaucoup mieux ! »

Il étendit le bras, reprit :

« Je supporte toute cette cour. ce qui est en soi une sorte d'exploit. Et puis. écoutez... »

Anne entendit s'étendre la musique baroque. et les musiciens lui apparurent les uns après les autres. D'abord, ils étaient passés inaperçus, confondus dans la lumière ou dans les ombres, appartenant trop au décor lui-même pour que la jeune fille eût pu les en différencier.

Un homme aux joues rubicondes se tenait près du prince. Il avait sur la poitrine des bijoux d'argent semblables à des poissons fraîchement tirés de la mer.

« Je suis le médecin, dit-il. Mon nom est Perez de la Olvidation. »

Anne le salua. Puis, faisant face au prince :

« Vous avez trouvé la force de vous asseoir...

— Je trouverais celle de marcher, petite fille, pour peu que vous consentiez à m'accompagner. J'éprouve le sentiment d'un enfant qui s'éveille. Il n'ose encore se servir de ses jambes, alors il paresse un moment au fond de son lit. Puis, un papillon passe en dansant devant la fenêtre ouverte. C'est un appel auquel on ne résiste pas. Vous êtes ce papillon... Vous êtes venue jusqu'à moi abandonnant tout. Quelle confiance ! C'est cette confiance, Anne, qui me rend l'envie de vivre. Je devine qu'il faut que je mérite vos sacrifices. Vous seriez par trop déçue de me voir mourir... »

Le médecin se pencha :

« Soyez tout de même raisonnable, don Enrico. Le soleil est chaud. »

Anne secoua la tête :

« Le soleil n'a jamais fait de mal à un convalescent. »

Elle jeta un bref coup d'œil vers la croisée :

« Pourquoi attendre ? Sortons dès aujourd'hui. Tout de suite. Je vous aiderai. »

Elle vit trembler les doigts du prince. Enrico de Cabiosco murmura :

« C'est entendu. Nous allons essayer de marcher. »

Il prit appui sur les accoudoirs de son fauteuil, se dressa. Il ressemblait à un gigantesque oiseau saisi de faiblesse qui, sur le bord d'un rocher, considère le vide infini devant lui.

Et la musique s'épanouissait, toujours plus ample. On pouvait apercevoir un nain, quelque bouffon oublié et vieilli, qui avait coiffé son tricorne à clochettes et qui sautillait sur place.

Le regard d'Anne croisa celui de Daniel Toth : elle y lut de l'admiration, et comme une espèce de soulagement.

« Votre bras », dit le prince à la jeune fille.

C'était l'heure proche du crépuscule. Des hirondelles passaient bas, redressant leur vol à l'ultime seconde. Des grappes de moucherons, si infimes qu'ils semblaient de la poussière en suspension, dessinaient des halos autour des arbustes épineux.

Devant le moine Jaime de Morelo se tenait un jeune homme au visage fin, qui venait de descendre d'un cheval noir.

« Juan... fit le moine. Te voilà !

— Vous m'attendiez ? »

Morelo soupira :

« Je ne t'attendais pas, mais je savais que tu finirais par venir. Il y a une nuance. L'as-tu saisie ? »

Le jeune homme ne répondit pas. Tournant le dos au religieux, il ouvrit l'une des sacoches de cuir qui pendaient de part et d'autre des flancs de sa monture. Il en tira un parchemin cacheté, fit sauter le sceau d'un coup d'ongle précis, le déroula et le tendit à Morelo :

« Bulle du pape Sixte IV, en date du 1er novembre 1478. Lisez, mon père. »

Le moine saisit le parchemin du bout des doigts, comme si ce papier enluminé le brûlait. Il lut, à mi-voix :

« ... en outre, nous accordons à ces hommes à l'égard de tous ceux accusés de crimes contre la foi, et de ceux qui les aident et les favorisent, les droits particuliers et juridictions tels que la loi et la coutume les attribuent aux ordinaires et aux inquisiteurs de l'Hérésie. »

« Eh bien, mon père ? »

Jaime de Morelo dit, d'une voix rauque :

« Ne m'appelle pas « mon père ! »

Juan sourit, étirant ses lèvres minces :

« N'êtes-vous pas religieux ? Et prieur ? »

Il ajouta, plus bas :

« Et, très bientôt, Inquisiteur de la ville de Cabiosco ?

— Non ! cria Morelo.

— Si fait, dit Juan avec calme. C'est votre devoir. Et, que je sache, vous n'êtes pas de ceux qui se dérobent devant leur devoir.

— Je ne suis pas nommé !

— Vous êtes proposé. Cela revient au même. Votre nom a été soumis au Saint-Père, qui l'a accepté. »

Morelo baissa la tête, accablé :

« Ecoute-moi bien, Juan. Il est vrai qu'avant de partir pour la France, j'avais accepté ce titre, cette terrible mission d'Inquisiteur. Mais...sur le chemin, j'ai vu tant de gens souffrir. De la faim, du froid. Des séquelles de la guerre. Je n'ai plus envie de voir des souffrances, Juan. Sans compter que je ne sais pas — je ne sais plus ! — si nous avons besoin de l'Inquisition, ici, à Cabiosco.

— Le seul moyen de le savoir...

— Tu es impitoyable. » dit doucement le moine.

Le jeune homme reprit le parchemin, l'agita — et les derniers feux du soleil jetaient d'étranges lueurs pourpres en se reflétant sur l'or des enluminures :

« Rappelez-vous les premiers temps de l'Eglise, mon père. A cette époque, lorsque les Chrétiens servaient de torches vivantes pour l'agrément des jardins de Néron, pouvait-on se permettre d'être pitoyable ?

— Je sais, dit Jaime avec lassitude, mais nous n'en sommes plus là ! Le Christ triomphe sur le monde.

— Justement. Le diable entre en grande jalousie... et déchaîne les hérésies, les blasphèmes. »

Le moine dévisagea Juan : le jeune homme était pâle, d'une pâleur que faisait ressortir davantage son costume de cuir noir.

Morelo connaissait Juan de Monales depuis

sept ans. De santé trop fragile pour entrer dans les rangs de l'armée royale, le jeune homme avait mis son intelligence et son extraordinaire puissance de travail au service des autorités ecclésiastiques. Très vite, il avait épousé la cause de ceux des prêtres et des évêques qui brandissaient l'étendard déjà sanglant de l'Inquisition.

Jaime de Morelo, sans oser se l'avouer, devinait chez ce garçon solitaire et hautain une haine profonde de l'humanité. Une haine que Juan de Monales dissimulait sous le prétexte de la pureté la plus intransigeante.

« Eh bien, mon père ? » s'impatienta Juan.

Le moine se détourna à demi :

« Officiellement... comment les choses vont-elles se passer ?

— C'est très simple, à votre guise. »

Il sauta en selle, cabrant son cheval :

« Les membres de la Sainte Inquisition ne peuvent admettre aucun partage des pouvoirs. Dès que votre nomination aura été entérinée, vous serez, mon bon père, quelque chose comme le... maître absolu de la vie et de la mort, ici, à Cabiosco. »

Il donna des éperons dans le flanc ruisselant de sueur de sa monture :

« A bientôt ! »

Morelo regarda disparaître le messager.

La nuit, déjà, gagnait l'immensité du ciel. Mais le moine éprouvait comme une peur mauvaise à l'idée de regagner sa chambre : il redoutait par-dessus tout de se retrouver face à face avec lui-même, dans le silence. Aussi se mit-il en marche au hasard, décidé à errer par les rues de la ville tant que ne se seraient pas calmés les battements de son cœur.

Cabiosco, par ici, sentait mauvais : le milieu des ruelles, comme une cicatrice mal refermée, laissait s'écouler des boues immondes qui grossissaient de jour en jour et, finalement, ne s'épandaient nulle part.

Et le moine priait, dans le secret de son âme :

« Douce Vierge, et toi, Seigneur Tout-Puissant, donnez-moi la main, l'un et l'autre. Empêchez votre malheureux serviteur de trembler, de vaciller. Donnez-moi la force. Et, je vous en supplie, faites que jamais le sang ne coule ici, à cause de moi. »

Daniel Toth s'arrêta devant une demeure basse aux volets clos. Autour de lui, montaient des respirations longues : tout un peuple s'endormait, dont on ne distinguait même pas les abris. Simplement, ils étaient là, dans le cœur de la nuit. Parfois, un rideau se soulevait. Apparaissait une main blanche, brillait un regard furtif. Puis, de nouveau, l'obscurité totale.

Daniel frappa à la porte de la maison basse. Une femme aux cheveux noirs et bouclés lui ouvrit :

« Entre, dit-elle, nous t'attendions. »

Le jeune homme s'avança : une vingtaine de juifs, rassemblés près d'une table, inclinèrent la tête vers lui. Plusieurs chandelles brûlaient, çà et là, que les femmes de chacune des familles juives de la ville avaient allumées à l'instant précis où le soleil plongeait derrière l'horizon.

Ce soir était le premier du sabbat hebdomadaire, fête de joie, d'amour et d'espérance du peuple de David.

Daniel se tourna vers la cheminée : blottis l'un

contre l'autre près de l'âtre où l'on avait éteint le feu, des petits enfants jouaient.

Le plus âgé des assistants, le vieil Istvek, prit les pains et les bénit ; puis, il versa un peu de vin dans une coupe où chacun trempa ses lèvres.

Maintenant, Istvek chantait. Il avait une voix éraillée, mais il savait la lancer dans les aigus inattendus où, comme par miracle, elle trouvait son équilibre.

La fête s'installa, parfaite.

On dégusta les concombres, dont on relevait la saveur d'une pincée de sel ; les poissons les plus rares, les plus difficiles à prendre ; les pièces de mouton ; les petits gâteaux ronds.

Puis, à la fin du repas merveilleux, les regards se posèrent sur Daniel :

« Alors ? » fit Istvek.

Le jeune homme s'essuya les lèvres, sourit :

« Voyons, vous en savez autant que moi ! Le prince va beaucoup mieux. »

Istvek et Myriam, qui se tenaient la main, hochèrent la tête :

« Tu sais très bien que ce n'est pas de cela que nous voulons parler. Quelle décision as-tu prise ? »

Daniel baissa les yeux :

« Aucune, encore... »

Istevk gronda :

« Folie ! Tu ne peux pas continuer ainsi, Daniel. Un jour, quelqu'un saura que tu viens célébrer le sabbat avec ceux de ta race. Les chrétiens n'admettront jamais que tu puisses servir deux religions à la fois. L'Inquisition a mis à mort beaucoup des nôtres pour moins que ça ! »

Daniel haussa les épaules :

« L'Inquisition ? Il n'y a pas d'Inquisition à Cabiosco.

— Ton grand ami, le moine Morelo...

— N'acceptera jamais de se transformer en juge. Et en bourreau. »

Istvek se leva :

« Si on le lui demande, il ne pourra refuser. »

Le jeune homme soupira, sans répondre : il n'ignorait rien de tout cela. Il connaissait l'ampleur des risques qu'il prenait. Mais il trouvait aux deux religions des joies profondes, diverses, des enthousiasmes de l'âme dont il refusait de se priver. Et surtout, dans le fond de lui-même, il estimait que le Dieu d'Israël et le Dieu des chrétiens étaient une seule et même divinité :

« Si les hommes ne me comprennent pas, murmura-t-il, Dieu, Lui, m'entendra...»

Daniel marcha jusqu'à une fenêtre, l'ouvrit. Le vent de la nuit soulevait sa chevelure et les pans de son vêtement blanc. Il dit :

« Istvek, je souhaiterais te parler en particulier. »

Le vieillard eut un geste agacé :

« Nous sommes tous concernés par ce qui touche l'un d'entre nous, Daniel. Dis ce que tu as à dire.

— Il s'agit de cette jeune fille... celle que Jaime de Morelo a ramenée de France.

— Une lointaine cousine du prince, n'est-ce pas ? fit Myriam.

— Une petite-nièce » répondit Daniel.

Le vieil Istvek devina :

« Tu la trouves belle ? C'est cela ? »

Le jeune homme rit brusquement, pour masquer son trouble :

« Belle ? Ce n'est pas le mot juste. Sarah, votre

nièce, est une femme... belle. Pas la petite Anne. Toutefois...

— Toutefois... ?

— Elle est simple, et douce, dit Daniel.

— Sait-elle que tu es juif ?

— Je le lui ai dit. J'ai ajouté que je m'étais converti. Etre juif, pour Anne, cela ne signifie rien. Je veux dire : rien de... mal. »

Il se redressa, et lâcha, d'un trait :

« Je vous demande la permission de l'inviter, vendredi prochain, à célébrer le sabbat avec nous. »

Istvek parut s'absorber dans une réflexion qui n'en finissait pas. Puis :

« Acceptera-t-elle ?

— Je crois que oui. »

Istvek étendit le bras :

« Entendu, Daniel. Il paraît que cette jeune fille a beaucoup d'influence sur le prince. Elle pourrait nous être utile, au cas où... »

Anne dormait d'un sommeil sans rêves, quand un frôlement l'éveilla. Elle sursauta :

« Qui est là ? »

A la lueur vague de la lune qui tentait de percer entre les nuées, elle aperçut une silhouette près de son lit.

Elle faillit crier, mais une main se posa doucement sur ses lèvres, et une voix qu'elle reconnut pour être celle de Daniel Toth dit, très doucement :

« Je ne vous veux pas de mal. »

Anne se détendit. L'architecte ôta sa main.

« Eh bien, s'exclama la jeune fille, rien ne vous arrête ! Est-ce une coutume espagnole, que de

72

s'introduire à la façon des voleurs dans la chambre d'une femme ? »

Toth sourit dans l'ombre :

« Une coutume ni espagnole, ni... juive ! »

Anne essaya de se composer une attitude de princesse outragée :

« J'attends tout de même vos explications, monsieur l'architecte ! Vos explications et puis aussi vos excuses. »

Daniel s'assit sur le rebord du lit :

« Les servantes que l'on a mises à votre service sont de braves femmes, mais d'incorrigibles bavardes. Supposons que je sois allé trouver doña Jovinez, en lui demandant audience auprès de vous... Dès l'aube, toute la ville eût été au courant du fait scandaleux que Daniel Toth et Anne-Sans-Coin se rencontraient en pleine nuit, dans une chambre à coucher. Tandis qu'avec mon système, nous sommes seuls à le savoir. Vous et moi...

— Mais, comment êtes-vous entré ? »

Il désigna la fenêtre ouverte :

« Par là. Le chemin de ronde passe en dessous. J'ai grimpé par la muraille. Oh ! ce n'est pas un exploit ! Tous les enfants de Cabiosco sont capables d'en faire autant ! »

Anne hocha la tête. Croisant les mains sur sa poitrine, elle dit, très digne :

« Bon. Me voici à votre merci. Puis-je savoir ce que vous attendez de moi ?

— Un peu d'amitié. Rien de plus.

— Et pour cela, il vous faut la nuit ?

— Ne vous moquez pas de moi, Anne.

— Avouez tout de même, monsieur l'architecte, que j'ai de quoi être surprise ! »

Il s'écria, presque avec violence :

« Oh ! Et cessez de m'appeler « monsieur l'architecte » ! Mon nom est Daniel. Essayez de dire « Daniel » ... ?

— Daniel..., murmura-t-elle.

— Voilà qui est mieux ! »

Il se pencha vers elle :

« Savez-vous, reprit-il, que l'on veut me marier ? »

Elle ne put s'empêcher de rire :

« Et vous, vous ne voulez pas ? »

Daniel expliqua, posément :

« Remarquez bien que la jeune femme en question est véritablement très belle. Et riche.

— Qu'est-ce donc, alors, qui vous retient ?

— Cela, je ne puis vous le dire. C'est encore un secret.

— Gardez votre secret, il ne m'intéresse pas ! répliqua la jeune fille avec humeur. Je ferais beaucoup mieux de vous prier de repartir et de me laisser dormir.

— Sans doute, admit Daniel Toth. Mais vous ne le ferez pas.

— Et pourquoi ?

— Parce que, quand quelqu'un a besoin de vous, vous répondez « me voilà ». Et il se trouve que j'ai besoin de vous, Anne. »

Il avança les doigts, toucha ceux de la jeune fille. Elle parut ne pas s'en apercevoir :

« Parfois, dit-elle, vous vous conduisez tout à fait comme un petit garçon. »

Il murmura, avec gravité :

« Je suis un petit garçon. Tous les hommes sont des petits garçons. Ils font seulement semblant d'être devenus des adultes, mais c'est un jeu. »

74

Il ajouta, sur un ton de prière :

« J'avais tellement envie d'entendre une voix douce ! A Cabiosco, lorsqu'on s'adresse à moi, c'est soit avec un odieux respect hypocrite, soit avec dureté.

— Voulez-vous dire qu'on ne vous aime pas ? »

Il répondit, simplement :

« On ne m'aime pas.

— Mgr Jaime de Morelo, lui...»

Il l'interrompit :

« Lui, c'est différent. Lui, il est vrai qu'il m'aime. Mais il aime davantage son Dieu. S'il devait choisir...

— Sottises !

— Non, petite Anne. Croyez-moi. Le ciel vous semble calme et serein. Mais moi je sais qu'un orage formidable se prépare. »

Elle eut un soudain frisson :

« Taisez-vous, Daniel. Je n'aime pas vous entendre parler ainsi.

— Puis-je... »

Il se tut, hésitant. Elle l'encouragea :

« Allez ! Que voulez-vous ?

— Puis-je baiser vos doigts ? Oh !... juste le bout de vos doigts ?

— Non, fit-elle très vite, vous ne le pouvez pas. »

Puis, se ravisant :

« Après tout... si, je vous donne la permission. »

Plus tard, elle lui demanda :

« Et votre mère, Daniel ?

— Je n'ai jamais su ce qu'elle était devenue.

— C'est comme moi », dit-elle tout bas.

Il sourit :

« Vous voyez ? Nous sommes faits pour nous entendre. »

Il se leva, marcha jusqu'à la fenêtre sans se retourner. Il enjamba l'appui. Un instant très bref, sa silhouette se découpa sur le bleu presque noir du ciel de nuit. Les pans de son manteau blanc, que le vent faisait voler, lui donnaient un air d'oiseau de mer, géant et fou.

Anne écouta le bruit régulier des éperons du jeune homme heurtant la paroi de la muraille. Puis elle perçut le son de ses pas qui s'éloignait. Et les jappements étouffés du grand chien fauve.

Elle ne parvint pas à se rendormir.

5

LE LENDEMAIN, au début de la matinée, Anne rencontra Daniel qui se promenait comme elle sur les remparts. Pour la première fois depuis que la jeune fille était arrivée à Cabiosco, une couche épaisse de nuages masquait le soleil.

Le vent de terre soufflait en rafales, portant avec lui des senteurs de trèfles et de blés.

Toth ne prit pas le temps de saluer Anne. Tendant la main vers l'horizon, il dit :

« Regardez... dans moins de trois heures, nous aurons une tempête. »

Elle rit, moqueuse :

« Décidement, tout vous fait peur, l'Inquisition, les orages ! »

Il la regarda avec sévérité :

« Ne parlez jamais de l'Inquisition, Anne. Même ceux qui la servent marchent en rasant les murs. Quant aux orages, j'ai d'excellentes raisons de les redouter. Mes navires...

— Je croyais qu'ils étaient en construction là-haut, vers l'amont de la rivière.

— Et alors ? Un fleuve qui se soulève peut causer des dégâts aussi considérables qu'un océan en fureur.

— Pardonnez-moi, je ne savais pas. Qu'allez-vous faire ?

— J'ai demandé une troupe d'hommes solides et astucieux. On est en train de la rassembler dans la cour du palais. Nous allons monter jusqu'au chantier, et tenter de protéger les bateaux. »

Il fit demi-tour, se dirigea vers un escalier taillé à même le granit du rempart :

« Priez, Anne ! »

Il disparut, son chien sur les talons. La jeune fille sourit en elle-même : « Tiens, tiens ! Le jeune homme inquiet de cette nuit, fait ce matin, semblant d'être une grande personne. Ma foi, ce rôle lui convient parfaitement ! »

A son tour, elle quitta le chemin de ronde. Elle emprunta un couloir où le vent s'engouffrait en faisant naître d'étranges ululements. Elle déboucha sur une plate-forme ceinte d'une rembarde de fer, et qui dominait la cour du château.

Piétinant le tapis de feuilles de menthe, des soldats allaient et venaient. Lancinante, une trompette sonnait des ordres qu'Anne ne comprenait pas.

Daniel Toth se tenait au centre de cette agitation, les bras croisés sur sa poitrine, ne perdant pas un détail de tout ce qui s'apprêtait.

Puis, apparut le moine Jaime de Morelo. Il s'approcha de Toth, lui glissa quelques mots à l'oreille. L'architecte hocha la tête, et cria :

« Capitaine Guarninac ! »

Un officier courut vers lui, se figea :

« Oui, monsieur l'architecte ?

— Si vos hommes ne sont pas prêts d'ici dix minutes, fit Daniel Toth avec morgue, vous pouvez les avertir qu'ils passeront la nuit prochaine au cachot.

— Bien, monsieur l'architecte ! »

Comme le militaire repartait en toute hâte, Daniel lui cria :

« Et vous les y accompagnerez, capitaine ! »

Anne prit sa décision avec une soudaineté qui l'étonna elle-même. Elle s'élança vers l'intérieur du palais, traversa une succession de corridors, bousculant des femmes de chambre qui portaient des paniers de linge. Elle parvint enfin dans la petite pièce attenante à son appartement. Là, assise près de la croisée, doña Jovinez s'occupait à une tapisserie.

La duègne se leva, laissant choir son ouvrage :

« Seigneur, que se passe-t-il ?

— Oh ! fit Anne, rien qu'un orage. Donnez-moi mon manteau de voyage, je vous prie. »

La gouvernante écarquilla les yeux :

« Comment ? Cette... « chose » que Mademoiselle portait en arrivant ici ?

— Oui, dit Anne avec impatience. Je conviens que ce n'est pas très joli, mais... Allons, doña Jovinez ! Les tempêtes n'ont pas l'habitude d'attendre !

— Mademoiselle va sortir ? » dit la femme effarée.

Anne, riant à moitié, imita le ton de Daniel Toth :

« Et si vous ne faites pas diligence, doña Jovinez, vous passerez la nuit prochaine au cachot ! »

La gouvernante ne se le fit pas dire deux fois. Se hâtant sur ses jambes courtes et grosses, elle courut vers l'armoire massive qui s'appuyait contre la paroi. Elle décrocha le lourd manteau d'Anne, cette pelisse doublée à l'intérieur, que son père avait taillée lui-même dans les peaux de trois chèvres, et qui opposait aux éléments le plus sûr des barrages.

Tandis que doña Jovinez aidait Anne à s'enfouir dans l'épaisse toison, la jeune fille demanda :

« Pour avoir un cheval... à qui faut-il s'adresser ? »

La gouvernante, de plus en plus stupéfaite, s'exclama :

« Un cheval ? Mademoiselle sait monter à cheval ?

— Et comment croyez-vous que je sois venue à Cabiosco ? En rampant sur les genoux ? »

Quelques instants plus tard, un valet d'écurie tendait à Anne-Sans-Coin la bride d'un cheval arabe — saisi, sans doute, aux occupants Maures.

Anne sauta en selle.

Elle cria, pour couvrir le tumulte du vent qui s'enflait :

« Le chantier naval ? Par où ? »

L'homme, du doigt, indiqua la direction de l'est. Là, justement, où les nuées paraissaient plus livides que partout ailleurs.

Anne lança le cheval en avant.

Elle eût été incapable, d'expliquer ce qui se passait en elle. C'était un mouvement de tout son être, contre lequel elle devinait qu'il était vain de résister. Elle avait perçu, dans la voix de Daniel Toth, comme une détresse que le jeune homme s'efforçait de cacher. Elle l'avait senti tendu à l'extrême, capable du pire : ce pire qui submerge les êtres confrontés à une phase particulièrement délicate de leur existence ; ce pire qui peut transformer en une brève seconde un homme bon en homme injuste.

Toth l'attirait : cela, Anne se l'avouait. Incapable de mentir aux autres, et moins encore à elle-même, la jeune fille reconnaissait cette fascination que l'architecte exerçait sur elle.

Maintenant, elle chevauchait à travers les rues étroites de la ville.

Une phrase — une phrase davantage pensée que dite — revenait, répétée comme par la magie d'un écho :

« Il a besoin de moi... Il a besoin de moi... »

Anne ne cherchait pas à savoir en quoi elle pourrait être utile à Daniel Toth : ce n'était évidemment pas elle qui se montrerait capable de soulever un madrier, de frapper une amarre ; elle voulait, très simplement, se tenir près de lui, silencieuse, participant intérieurement à un combat dont sa constitution de femme l'écarterait cependant.

« Il a besoin de moi... »

Le cou tendu, le corps arqué, Anne faisait le vide dans son esprit.

Derrière elle s'étendait la cité : les pierres désunies donnaient l'illusion de créneaux, et les poutres à la verticale de hampes prêtes pour les étendards.

Parfois, une lueur brève passait dans le ciel — un tout petit éclair, satisfait de lui-même, fier de ce qu'il annonçait.

Des insectes affolés se plaquaient contre les flancs du cheval, qui tressaillait.

Anne engagea la bête entre les troncs sectionnés d'une ancienne oliveraie. Ici, la terre était déchirée : le sol conservait les traces du combat que s'étaient livrés les Espagnols et les Arabes — larges brûlures, entassements de pierres comme autant de citadelles miniatures, pieux alignés. Longtemps, les corbeaux avaient habité ce côteau soulevé. Et l'on disait, à Cabiosco, que ce qui pousserait là, lorsque le terrain serait rendu aux labours et aux semailles, grandirait ferme, et haut, et gras, et riche.

« Il a besoin de moi... Il a besoin de moi... »

Puis, Anne s'engagea sous les branches de la forêt. La rivière courait sur sa gauche, déjà jaune de boues arrachées, roulant ses menaces avec les galets des rives.

Sur son passage, les feuilles se relevaient et retombaient sur le dos du cheval avec un bruit de soie froissée.

Et soudain, il n'y eut plus de forêt.

« Il a besoin de moi... Il a besoin de moi... »

Devant la jeune fille, s'étendait la rivière, en sa partie la plus large. A la surface des eaux s'ouvraient des déchirures noires, qui libéraient des grappes de bulles.

Anne entendit un grand bruissement : le vent qui agitait les cordages.

Et les mâtures apparurent, pointant hors des nuées basses.

« Des bateaux dans la forêt... » murmura la jeune fille, impressionnée par ce spectacle.

Elle arrêta son cheval.

Une dernière fois :

« Il a besoin de moi... besoin de moi... »

Là se dressait le chantier.

Cinq grandes tentes carrées s'appuyaient à des tas de planches déjà équarries. Une odeur de résine et de vase piquait les narines.

Daniel Toth et ses hommes, face au fleuve, réfléchissaient. Deux navires montaient avec les eaux : ils possédaient la robustesse de charpente des caravelles, mais leurs dimensions, ainsi que la géométrie de leur étrave, les rapprochaient des caraques portugaises. Nul doute qu'ils fussent taillés pour de longues courses : cette impression était encore renforcée par le renflement des flancs, sous le bordage, qui laissait supposer de la place pour des réserves en quantité.

Le plus important des deux bâtiments montrait les membrures de sa coque : il n'était pas en état de naviguer, fût-ce sur les eaux d'une rivière encaissés. Conçu pour affronter les lames les plus monstrueuses, il donnait ici, au milieu des arbres, une tragique impression de vulnérabilité.

Toth se retourna, reconnut Anne :

« Etes-vous devenue folle ? »

Elle baissa la tête :

« Je n'en sais rien... Je pensais... »

Il coupa, avec dureté :

« Justement, vous ne pensez pas assez. Nous

risquons notre vie. Mais, en ce qui vous concerne, à quoi bon ? »

Elle essaya de sourire :

« Un orage... Ce ne sera pas le premier. »

Daniel cria, au paroxysme de l'énervement :

« En forêt ? Avec toutes ces pièces de bois qui peuvent se mettre à voler dans tous les sens ? Les hommes qui m'accompagnent sont tous volontaires !

— Moi aussi, dit-elle, je suis volontaire.

— Pauvre fille ! » lâcha-t-il, méprisant.

Anne encaissa l'injure sans répliquer. Elle était de plus en plus certaine de ne pas s'être trompée : jamais cet homme n'avait eu autant besoin de la présence, même muette, de quelqu'un qui l'aimât.

Car Anne sentait qu'il devenait inutile de ruser : elle éprouvait pour l'architecte naval un sentiment qu'elle n'avait pas ressenti jusqu'alors.

Un des maîtres du chantier, un nommé Felipe Lurbi, s'approcha :

« Monsieur l'architecte, toutes les précautions ont été prises. »

Il ajouta, comme à regrets :

« Mais, si Dieu décide que nos précautions ne valent rien ! .

— Laissez Dieu en paix, Lurbi. Ceci est une affaire entre le tonnerre et nous. »

Alors, quelque part au-dessus des ramures, un oiseau lança une série de cris stridents.

« L'oiseau de pluie... »

Lurbi expliqua :

« Il chante cinq fois. Et quand il a fini, c'est la pluie. »

Une obscurité extraordinaire tombait sur le fleuve. Seuls se voyaient avec netteté les navires dont les masses sombres se découpaient contre le ciel livide.

Anne était descendue de son cheval. Elle s'était avancée jusqu'à Daniel Toth.

Celui-ci lui prit le menton entre ses mains, le releva :

« Et vous n'avez pas peur ?

— Je ne sais pas... »

Felipe Lurbi, soudain, eut une idée :

« Monsieur l'architecte... et si nous libérions le vaisseau terminé ? Je monterais à bord. Et avec l'aide de quelques hommes, je pourrais peut-être le contrôler ?

— Vous voulez mourir, Lurbi ? » dit seulement Toth.

Et ce fut d'une brutalité inouïe. Sans beauté. Le vent arriva de l'est, à travers la forêt, comme quelque chose de solide. Il déracina les arbres faibles, brisa net le faîte des plus robustes. Il passa, le vent, et des branches cassées volaient partout. Le vent les précipitait contre les cinq tentes carrées.

Celles-ci s'affaissèrent.

On entendit des craquements secs, ceux du bois qui ne plie pas mais se rompt. Un homme chancela, puis, tomba : un madrier projeté lui avait défoncé la poitrine.

Pour éviter qu'il roulât, ses camarades durent le maintenir étroitement contre le sol.

Le ciel devint d'un blanc sale : c'était la pluie qui se mettait à l'horizontale. A se demander si l'on pourrait se tenir debout sous ce plafond liquide, qui palpitait.

La tempête dura près d'une heure.

Elle s'éloigna comme elle était venue.

Le soleil brilla de nouveau, dans un ciel d'un bleu très pâle, griffé de nuages roses minuscules.

« Pauvre fille... », murmura Daniel Toth.

Il écarta, du bout des doigts, les mèches trempées de pluie qui s'appliquaient, glaciales, contre le front d'Anne.

« Pauvre fille, dit-il encore, comme vous voilà arrangée ! »

Elle risqua un sourire :

« Je suis laide ? »

Il dit, grave :

« Si belle, au contraire.

— Vos bateaux, Daniel ?

— Ils ont tenu. Quelques avaries, mais ce ne sera rien. La route des Indes Occidentales reste ouverte.

— Je crois... je crois que je vais m'évanouir. »

L'architecte prit la jeune fille contre lui, la serra :

« Pourquoi êtes-vous venue ?

— Je vous jure que je ne sais pas. »

Il remarqua, légèrement surpris :

« A votre âge, on sait ce que l'on fait, et pourquoi on le fait. Vous n'êtes plus une enfant, Anne. »

Elle voulut lui expliquer... Mais elle ne le put pas : tout était si confus !

Autour d'eux, les soldats et les travailleurs du chantier se relevaient, massant leurs corps douloureux. Déjà, Felipe Lurbi reprenait la situation en mains :

« Qu'on ramasse les morceaux de bois arrachés ! Qu'on rassemble tout ce qui, de près ou de loin, ressemble à une corde ou à un câble ! Debout ! Au travail ! »

— Ne vous occupez pas de moi, dit Anne à Daniel. Ces gens attendent vos ordres. Vous êtes leur chef. »

Il l'embrassa doucement, sur le front :

« Il y a plus important, Anne. Il y a...vous ! »

Elle le repoussa, honteuse soudain d'être l'objet de tant d'attention :

« Je suis une sotte, dit-elle. Moi qui venais pour vous aider ! »

Il éclata d'un rire franc, la tête renversée vers le ciel redevenu pur :

« M'aider ! Vous ! M'aider !

— Oui, fit-elle, je suis comme cela, moi. Une affreuse petite fille orgueilleuse. »

Brusquement, il pâlit :

« Mais, Anne... si vous êtes venue... si vous avez voulu m'aider... c'est que... »

Elle rit à son tour :

« C'est que quoi ? Si vous trouvez la réponse, Daniel Toth, c'est que vous êtes bien malin ! »

Il se releva. Il dit, tout bas :

« Il me semble que je l'ai trouvée, la réponse. Mais je doute que vous l'acceptiez. »

La réponse.

Le cheval arabe, battant l'air de sa queue longue et touffue, ramenait Anne-Sans-Coin vers Cabiosco.

Elle chevauchait lentement, un peu à l'écart de Daniel Toth et de ses hommes.

La réponse.

En fait — elle le savait très bien ! — il ne pouvait exister qu'une seule réponse admissible. Une réponse qui eût tout expliqué.

Elle se rappela le village près de la montagne, où elle était née.

C'était un peu avant midi. Comme chaque jour, elle s'affairait, mettant le couvert pour son père et pour elle, surveillant la cuisson de la bouillie d'orge et de lait dans laquelle, les jours de fête, elle jetait de petits morceaux de lard.

Il neigeait. Une neige tranquille, qui fondait en touchant le sol. Une neige qui servait seulement à rendre moins lugubre la masse noire et sépia de la montagne. Une de ces neiges que l'on prend plaisir à regarder tomber, inlassablement.

Et quelqu'un avait ouvert la porte. Anne s'était redressée :

« Pierre ! »

Pierre Hutocloque, le fils unique du vigneron, était entré. Il s'était approché d'elle, de son étrange démarche balancée.

« Pierre, que voulez-vous ?

— Je passais... J'en ai eu assez, des flocons qui vous gèlent le cou... Je me suis dit, un petit moment d'abri, un petit moment de soupe chaude.

— Cela vous ferait vraiment plaisir ? Une assiette de bouillie ? »

Frottant ses mains rougies par le froid l'une contre l'autre, le garçon avait marmonné :

« La bouillie, oui. Le plus important...

— Qu'est-ce qui est plus important, Pierre ?

— Vous.

— Moi ? »

Elle s'était reculée, le dos contre l'âtre, prise d'une frayeur irraisonnée :

« Allez-vous-en ! Oh ! je vous en supplie, partez ! Mon père va rentrer, et s'il vous trouve là...

— Ce ne sera pas la première fois, avait-il répondu sans bouger.

— Non, mais d'habitude... vous ne me tenez pas de discours !

— Je voudrais tant pouvoir vous tenir des discours, Anne. De vrais discours, de beaux discours. »

Il avait écarté les mains, dans un geste à la fois d'offrande et d'impuissance :

« Je suis comme les autres : un propre à pas grand-chose ! Sorti de la vigne, du pressoir... Mais il n'empêche : j'ai de la fortune.

— Gardez votre fortune, Pierre.

— Moi, je me disais...

— Des bêtises ! Allez-vous-en, ou j'appelle ! »

Il s'était mis à sautiller d'une jambe sur l'autre, plus émouvant, en fait, que grotesque :

« Oui, je vais partir. Ne vous en faites pas. Et je ne reviendrai jamais, puisque ça vous fait des choses terribles, de me voir... »

Cruelle sans le savoir, elle avait jeté :

« Non, ne revenez jamais ! »

Il s'était retourné. Lentement, comme si ses pieds eussent pesé des tonnes, il s'était dirigé vers la porte. Le dos arrondi, les bras ballants.

Et, tout en marchant, il avait dit, dans son langage malhabile :

« M'occuper de vous. Vous regarder, pendant que vous préparez le manger. Porter de l'eau à votre place, arranger le feu. Rester comme ça, devant vous, en attendant que la nuit tombe. Ecouter hurler les loups, et me serrer contre vous, dans le grand lit chaud. Et vous dire de ne pas avoir peur. Eh quoi ! Vivre avec vous, près de vous. Vivre de vous, Anne. »

Il avait franchi le seuil, laissant la porte battre au vent mauvais.

Et, foulant la terre gelée qui craquait sous ses chausses, il continuait — comme on poursuit un rêve plus beau que les autres :

« Votre odeur dans la maison. Vous entendre boire. Vous voir rire. Vous toucher. Comme ça. Quand je le veux. Mais vous ne voulez pas. Elle ne veut pas. Je m'en vais. C'est vrai, hé, que je reviendrai plus. »

Sur le moment, Anne n'avait pas compris.

Elle comprenait enfin aujourd'hui, tandis que le cheval arabe caracolait vers la ville toute blanche sous le soleil écrasant.

« Il m'aimait. Pierre Hutocloque. Mon Dieu, comme j'ai dû lui faire du mal ! Oui, bien sûr, c'était un garçon simple. Trop simple. On l'appelait « le gentil Pierre ». Celui qui ne tue pas les guêpes, ni les mouches. Celui qui ne tue rien, jamais. Il m'aimait. Maladroitement. Mon Dieu, je vous en supplie pardonnez-moi ! Je ne savais pas...ce que c'est... aimer ! »

Elle se tourna vers sa gauche : Daniel Toth, la tête haute, semblait fixer le cœur même du soleil. Sans ciller.

Son manteau blanc était taché de vase, de boue.

DEUXIÈME PARTIE

LA NUIT

6

DEPUIS maintenant deux mois, Anne-Sans-Coin régnait sur l'âme du vieux prince.

Enrico de Cabiosco allait mieux. Il allait même tout à fait bien, exception faite d'une faiblesse dans les jambes, qui lui interdisait de monter à cheval.

Mais au déjeuner, il avalait avec plaisir sa brochette de perdrix et son ragoût de poissons de roches ; au souper, il attaquait d'une fourchette allègre le cuissot de chevreuil, ou l'agneau entier rôti sur des braises et parfumé à l'anis ou à la menthe, recette que le cuisinier du palais avait héritée des Arabes.

Le prince buvait, quotidiennement, ses deux carafons de vin de Castille.

Il avait recommencé à rendre la justice, une fois la semaine. Et l'on disait qu'il s'y entendait mieux qu'avant sa maladie.

Il parcourait les rues de Cabiosco, et les chemins environnants, à bord de ce carrosse de bois doré qu'Isabelle de Castille, autrefois, avait voulu lui acheter, tant elle l'avait trouvé beau.

Chaque soir, il convoquait sa petite-nièce :

« Eh bien, Anne ? »

Elle lui souriait :

« Eh bien, prince ?

— Je t'ai déjà dit que je tenais les médecins pour des ânes. Mais mon médecin personnel, Perez de la Olvidation, est un âne un peu moins âne que les autres. Bref, il affirme que je ne lui dois pas la vie, mais que... mais que c'est à toi que je suis redevable !

— La vérité...

— C'est cela, dis-moi la vérité : ça me changera !

— Vous vous êtes rétabli seul. Tout seul. Par la puissance de votre propre volonté.

— Tu me flattes. Tu me déçois !

— Je ne vous flatte pas. C'est vrai. Vous avez voulu guérir, et vous y êtes parvenu.

— Pourquoi aurais-je voulu guérir, selon toi ?

— Ceci vous regarde, prince. »

Il tonnait :

« J'ai voulu guérir à cause de toi, bébé de France !

— Je ne suis plus un bébé.

— Si, si. Il le faut, d'ailleurs. Ne vieillis jamais, Anne. Si tu vieillis, je vais vieillir, moi aussi. Et si, moi, je vieillis, je meurs. Pire : je crève. Comme ces mulets, tu sais bien, que l'on a trop battus. Trop fouettés. »

Elle demandait, surprise :

« Qui vous a battu, fouetté ? Qui aurait osé ?

— Trois personnes. Ces trois personnes sont,

dans l'ordre de leur méchanceté : la Vie, la Politique et la Guerre. »

Sa conclusion ne variait jamais :

« Dis-moi ce que je peux faire, pour te remercier ? »

Istvek passa les doigts écartés de sa main droite dans sa barbe grise :

« Jeune fille, nous allons prier. Car le sabbat est, pour nous, la manifestation de notre foi. Toi, tu es chrétienne. Ecoute-nous, sagement. Le Dieu d'Israël est heureux, j'en suis sûr, de ta présence parmi nous. Il ne te demande rien d'autre que ton amitié. »

Et comme chaque vendredi soir, le vieillard bénit le pain et le vin.

Daniel ne quittait pas des yeux Anne qui, très simplement, se tenait derrière sa chaise et regardait Istvek avec amitié.

« Le vieux ne changera jamais, pensa Toth. Il séduirait n'importe qui. Il est le meilleur d'entre nous, car il possède cette vertu devenue si rare, la tolérance. Le jour où Istvek mourra, la communauté juive de Cabiosco perdra, si Yahvé ne veille pas sur elle, le plus essentiel de ses ferments...»

Le jeune homme avait attendu plusieurs semaines avant de convier Anne à assister au repas de fête du sabbat. Non point qu'il n'eût pas confiance en elle : mais il voulait auparavant être certain que rien ne se tramait contre la fragile communauté.

En effet, des bruits divers avaient couru, impossibles à vérifier, selon lesquels les juifs allaient être placés sous surveillance. Quelle surveillance ? Daniel l'ignorait.

Quand il interrogeait Jaime de Morelo à ce sujet, le moine répondait à côté , ou bien encore détournait la conversation.

Finalement, Daniel s'était convaincu qu'aucun péril ne menaçait ceux de sa race. Alors, il avait demandé à Anne-Sans-Coin si elle consentirait à l'accompagner, un vendredi soir.

Et Anne était là.

« Jeune fille, commença Istvek, est-il exact que le prince est l'un de vos parents ? »

Anne sourit :

« On le dit.

— Tout de même, intervint Siméon, l'un des convives, vous devez bien le savoir ?

— Une histoire tellement ancienne, monsieur ! Et d'ailleurs cela ne change rien pour moi. J'essaie d'aider de mon mieux Enrico de Cabiosco. Et j'aiderais, de la même façon, n'importe qui.

— Même l'un d'entre nous ? demanda Myriam.

— Pourquoi pas ? » répliqua Anne.

Elle se retourna vers Istvek, ajouta :

« Vous vous mettez vous-mêmes à l'écart. Je me rappelle, la première fois que j'ai rencontré Daniel Toth...

Celui-ci posa sa main sur le poignet de la jeune fille. Anne continua :

« Il m'a dit « Je suis juif », comme si cela était une chose mauvaise.

— Pas mauvaise, grommela Istvek, mais dangereuse.

— Toujours cette histoire d'Inquisition ? fit Anne. Depuis que je suis à Cabiosco, seul Daniel

Toth y a fait allusion. Le reste du monde n'a pas l'air d'y croire, à votre dragon ! »

Siméon baissa la tête :

« Dragon est le mot juste, mademoiselle. Les dragons crachent du feu, l'Inquisition aussi. »

Mise en verve par le vin qu'elle venait de goûter, Anne s'écria :

« Mais enfin, pourquoi l'Inquisition s'en prendrait-elle plus particulièrement à vous ? »

Ce fut Istvek qui répondit, de son étrange voix cassée :

« Toute la question est là, jeune fille. »

Au-dehors, la lune et les étoiles scintillaient dans un ciel immaculé. Il flottait sur la ville un parfum de fleurs brûlées par le soleil — une odeur mêlant intimement le poivre et le sucre.

Istvek baissa la voix :

« Au commencement, l'Inquisition n'était que religieuse. Aujourd'hui ses tribunaux ont basculé dans le camp de la politique. Si votre voisin vous gêne, si vous ambitionnez de prendre sa place, sa maison, ses troupeaux, il vous suffit de le dénoncer à l'Inquisiteur. Croyez-moi, vous en serez vite débarrassé...

— Dénoncer, dénoncer, fit Anne, cela est aisé à dire ! Mais encore faut-il avoir quelque crime à reprocher.

— Une hérésie, dit Siméon.

— Une hérésie ?

— Tout peut devenir hérésie, expliqua Istvek. Un signe de croix mal dessiné... un mot latin écorché. »

Il versa un peu de vin dans la coupe d'Anne, et ajouta :

« Vous êtes vous-même en train de commettre le crime d'hérésie. »

Anne éclata de rire. Mais, voyant que tous les autres détournaient leurs regards pour dissimuler leur gêne, elle se tut brusquement :

« Moi...? dit-elle.

— Vous êtes catholique. Et vous êtes occupée à célébrer le culte d'une religion que votre Église tient pour... fausse ! »

Anne réfléchit un instant. Puis, troublée, elle murmura :

« Je suis chez des amis. Qui m'ont invitée à partager leur repas. C'est tout. Je ne fais rien de mal. »

Daniel Toth lui serra le poignet si fort qu'elle faillit crier.

Il dit, avec tristesse :

« Des centaines d'hommes et de femmes ont été brûlés vifs au milieu des cris de joie de leurs amis de la veille, Anne. Et eux, non plus, n'avaient rien fait de mal... »

Myriam toussa :

« Un chat dans la gorge, cela veut dire que nous devons parler d'autre chose... Le sabbat est un temps de fête. »

Après le souper, Daniel entraîna Anne un peu à l'écart. Tous deux s'assirent sur le rebord de la fenêtre basse, laissant plonger leurs regards dans le secret bleu de la ville, lovée comme une bête repue, ronronnante.

« Cette jeune femme qui était assise à votre gauche, dit Anne, était-ce Sarah ? Il y avait tant de gens, je n'ai pu retenir chaque nom.

— Oui, c'était Sarah.

— Elle est très belle.

— En effet », répondit distraitement Daniel.

Anne dit, se détournant :

« Je... j'avoue que je comprends mal pourquoi vous ne l'épousez pas... Vous allier à la famille d'Istvek, ne serait-ce pas merveilleux ? Car Istvek est un homme bon, et juste.

— Je sais tout cela. Avez-vous déjà oublié ?

— Oublié quoi ?

— Que les raisons pour lesquelles je refuse la main de Sarah sont des raisons très secrètes ?

— Pardonnez-moi, je me suis montrée indiscrète. »

Il se pencha vers elle, l'embrassa dans la nuque. Anne frémit. Il se retira :

« Vous n'aimez pas cela...?

— Il ne faut pas, Daniel.

— Pourquoi ? Nous sommes seuls. Tous les autres sont dans la pièce à côté. Alors, pourquoi ne puis-je pas embrasser votre nuque ? »

Elle plaisanta :

« Parce que c'est ma nuque, justement ! Avant d'y toucher, vous devez me demander la permission. »

Alors, brutalement, il dit :

« Je t'aime. »

Anne n'eut pas le temps de répondre : la porte de la maison s'était ouverte. Un enfant se tenait sur le seuil :

« Monsieur l'architecte... quelqu'un vous demande ! »

Daniel devint blême. Personne, en principe, ne pouvait savoir qu'il se trouvait ici.

Il attrapa l'enfant par le bras :

« Qui ? Qui me demande ? »

Le garçonnet répondit, sans se troubler :

« Un grand homme, avec un manteau brun. »

Il frétilla, pour tenter d'échapper à l'étreinte de Daniel Toth. Il dit encore :

« Quelqu'un qui ressemble à un moine... »

Daniel tourna vers Anne un visage décomposé :

« C'est Jaime... Ce ne peut être que Jaime. »

Anne demeurait sans réaction : soudain, tout allait trop vite, et dans des directions par trop diverses. La jeune fille n'avait pas eu le temps de laisser s'ouvrir, comme une fleur de lumière liquide et brûlante, la petite phrase de Daniel « Je t'aime...» que, déjà, une autre fleur s'irradiait en elle. Fleur vénéneuse cette fois-ci, fleur pourpre et glaciale — la fleur de la peur.

Elle ne savait plus qui elle était, où elle était.

« Non, souffla-t-elle, non... »

Elle voulut se blottir contre le jeune homme, mais elle ne rencontra que le vide. Daniel, d'un bond, s'était précipité à l'extérieur de la maison.

Anne entendit, comme dans un rêve, le galop de deux chevaux.

Et le silence retomba, dense.

Elle leva les yeux vers les étoiles.

Alors, Istvek entra :

« Où est Daniel Toth, jeune fille ? »

Anne passa une main sur son front, répondit :

« Je ne sais pas. Il était là, avec moi. Un petit garçon est venu. Et puis... »

Istvek lui saisit le bras, serra :

« Parlez ! C'est important !

— Oui, dit-elle, c'est sûrement important,

mais... Un moine attendait Daniel... Ils sont partis tous les deux ensemble. »

Elle se retourna enfin, dévisagea Istvek : les traits du vieil homme s'étaient figés...

Ce n'était pas Jaime de Morelo qui attendait Daniel devant la maison basse, mais le jeune Domenico — cet enfant grandi trop vite, qui avait accompagné Morelo en France.

En le reconnaissant, Daniel se raffermit : Domenico n'était pas de taille à lutter contre l'architecte naval.

« Que voulez-vous, Domenico ? »

Celui-ci leva vers Daniel son étrange regard fiévreux :

« Vous êtes attendu...

— Par qui ? cria presque Daniel.

— Mon maître, le prieur Jaime de Morelo.

— Et si je refusais de vous suivre ? »

Domenico parut surpris :

« Pourquoi refuseriez-vous, monsieur l'architecte ? »

Toth scruta l'ombre, les formes blêmes des maisons entassées les unes contre les autres :

« Vous êtes seul, Domenico ? »

Le petit écarta les mains :

« Bien sûr, monsieur l'architecte ! »

Daniel pensa que, s'il résistait, cela pourrait paraître suspect. Après tout, il ne semblait pas qu'on fût venu l'arrêter. Peut-être Morelo était-il tout simplement malade, et souhaitait-il la présence de son protégé à son chevet.

Toutefois, comment le moine savait-il où se trouvait Daniel ?

« Très bien, fit brusquement le jeune homme, je te suis ! »

Domenico s'arrêta devant la porte de la chambre de Jaime de Morelo. Il frappa trois coups longs, et deux autres plus brefs.

« Entrez ! »

Domenico ouvrit la porte, s'effaça pour laisser passer l'architecte. Il referma l'huis, et s'éloigna, de sa démarche sautillante de moineau.

Une seule lampe à huile, en argent ciselé — encore une survivance de l'occupation maure — éclairait la pièce.

Toth connaissait bien cette salle haute de plafond, aux murs passés à la chaux, où il était resté des nuits entières à bavarder avec le moine de tous les mystères du monde. Alors, les parois étaient tapissées de cartes, de croquis, de schémas de machines, de plans de navires ; les meubles étaient submergés d'ouvrages rares, de traités géographiques, de récits d'explorations ; au centre trônait un appareil compliqué, fait de bois et de cuivre, et qui devait permettre de reconstituer les déplacements des constellations dans le ciel.

Cette nuit, tout cela avait disparu : la chambre était nue. Cela la faisait paraître immense, et comme menaçante.

Morelo était agenouillé sur un prie-Dieu, le front dans ses mains. Il dit, sans se lever :

« Dominus tecum, Daniel ! »

Toth secoua la tête :

« Je veux savoir ! Comment avez-vous deviné ? Et depuis quand...? »

104

Alors, Jaime de Morelo fit face. Ses lèvres étaient d'une extrême paleur, et tremblaient un peu :

« J'ai toujours été au courant, mon petit. Tu es un personnage trop considérable, porteur de trop de secrets de vie et de mort, pour que le moindre de tes actes échappe à la surveillance de... enfin, à la surveillance de ceux qui se consacrent au bonheur et à la prospérité de cette cité. »

Il s'arrêta un bref instant, reprit d'un ton où perçait la lassitude :

« Oui, Daniel, je connaissais depuis le premier jour l'existence de la maison d'Istvek, et ta présence là-bas. »

Toth ne put s'empêcher de demander :

« Et vous n'avez jamais tenté de m'empêcher d'y aller ?

— Pourquoi ? Que faisais-tu de mal ? Tant que cela n'était connu que de moi seul, quelle importance ?

— J'y célébrais le Dieu d'Israël, fit Daniel, d'une voix qui voulait défier.

— Le Dieu d'Israël ! N'est-il pas le Père de Notre-Seigneur ? N'est-il pas notre Père à tous...? »

Daniel baissa les yeux :

« C'est aussi mon avis, Jaime.

— Assieds-toi », dit doucement le moine.

Daniel obéit. Morelo soupira, et poursuivit :

« Et écoute-moi ! Ne m'interromps pas, surtout. Lorsque j'aurai achevé, tu parleras à ton tour. Ou bien, tu quitteras cette pièce sans te retourner. Cela te regarde, oui, c'est un choix qui t'appartient — à toi seul. »

Il ferma les paupières. Il se mit à parler comme si Daniel n'était pas là :

« Avant de me rendre en France. Juan de Monalès, envoyé du confesseur particulier de Sa Majesté Très Catholique est venu jusqu'ici, jusqu'en cette ville perdue, à seule fin de m'entretenir d'événements d'une gravité extrême. Si nos souverains sont parvenus à rétablir l'intégrité de leur royaume, voici qu'un autre royaume chancelle. Un royaume infiniment plus considérable, Daniel, le Royaume de Dieu. Le temps est venu d'aider le Tout-Puissant à remettre de l'ordre dans sa vigne. »

Daniel était devenu blanc. Il articula, comme si ces mots mettaient sur ses lèvres la brûlure d'une flamme :

« L'Inquisition... »

Morelo fit mine de n'avoir pas entendu. Il continua :

« J'ai assuré Juan de Monalès que j'étais prêt à servir là où la gloire de Dieu m'ordonnerait de me rendre. Je pensais sincèrement que la Sainte Inquisition était une institution salutaire, directement inspirée par l'Esprit-Saint. Certes, je savais ce cortège de souffrances qui l'accompagne... mais, la souffrance, Daniel, n'est-elle pas indispensable à l'être humain, afin qu'il se rachète ?

« Et puis, je suis parti pour ce long voyage, dont je t'ai narré chaque péripétie. En chemin, j'ai croisé des gens simples : pauvres paysans, montagnards accrochés à leurs rochers stériles... tant d'autres... J'ai pris la douleur en horreur, mon petit. Je l'ai haïe, moi qui me croyais incapable d'aucune haine. Et j'ai reconnu, dans toute souffrance, la marque du démon.

« Au retour, j'ai prié Dieu afin que Juan de

Monalès ne revint jamais... Mais Juan est revenu. Par deux fois. Tout à l'heure encore, il était assis là où tu te trouves. »

Morelo prit une longue inspiration, et dit :

« L'Inquisition est à Cabiosco. Et c'est moi qui suis chargé de... »

Il ne put achever.

Daniel Toth murmura :

« Je me doutais que cela arriverait un jour ou l'autre. »

Il l'interrogea, avec un calme qui l'étonnait lui-même :

« Qu'allez-vous faire, Jaime ?

— Obéir.

— Ce qui signifie ? »

Le moine se détourna :

« Allons, comme si tu l'ignorais !

— Oui, fit Daniel. Enquêter... traquer... interroger... torturer... condamner. »

Morelo s'était dressé :

« Tais-toi ! » cria-t-il d'une voix terrible.

Daniel insista, tranquille :

« C'est pourtant la vérité ! »

Il sourit, vaguement ironique :

« Je suppose... que vous allez m'arrêter pour crime d'hérésie ?

— Non, dit Morelo en reprenant le contrôle de lui-même. Non, car je t'ai fait venir pour te mettre en garde. Demain est un jour nouveau. Ne va plus là-bas et... empêche-moi de te faire du mal. »

Daniel serra contre lui les plis de son manteau blanc : soudain, il sentit une froidure mordante s'insinuer en lui.

Il dit :

« Jaime, croyez-vous vraiment que c'est au moment où une nouvelle guerre pousse son mufle effroyable parmi nous que je vais abandonner mes amis...? Des amis qui sont, d'ailleurs, davantage que des amis : mes frères, Jaime.

— Tu es un converti. Tu as reçu le baptême. Dois-je te rappeler les engagements que tu as pris, devant Dieu, devant sa Sainte Eglise ? »

Daniel Toth se leva :

« Et moi, dois-je vous rappeler ce que je vous ai dit, ce jour où vous m'avez épargné, sur le champ de bataille, au pied des remparts de Cabiosco?»

Morelo se rappelait.

« Non, dit-il. Je n'ai pas oublié. »

Daniel murmura :

« Les yeux des hommes sont imparfaits : là où ils voient « deux soleils, il n'y en a qu'un. »

— Oui, fit le moine. Cela m'avait troublé. Sur le moment j'ai cru que tu t'exprimais en homme de science.

— Plus tard, n'est-ce pas, vous avez compris ? Que ces deux soleils sont le soleil d'Israël, et le soleil du monde chrétien. »

Morelo se dirigea vers la porte, l'ouvrit. L'entretien était terminé.

« Daniel, dit-il sincèrement, ne nous déchirons pas. De ton côté, fais des concessions... et je te promets d'en faire, moi aussi. »

L'architecte naval sortit sans répondre.

Le nouvel Inquisiteur, don Jaime de Morelo, s'aperçut alors qu'un liquide chaud coulait doucement sur ses joues.

Il pleurait.

7

ANDIS que se déroulait cette entrevue, Istvek avait entraîné Anne dans la deuxième pièce de la maison. Le vieux juif avait senti le désarroi de la jeune fille. Mais il savait qu'il est des inquiétudes que, seul, le silence peut apaiser ; aussi s'était-il contenté de serrer Anne dans ses bras, et de lui caresser doucement la tête, comme s'il eût voulu réconforter un petit chat apeuré.

Peu à peu, Anne se calmait.

« J'ai eu si peur, expliquait-elle à mi-voix. Si peur de la peur de Daniel. Il était décomposé...

— Je pense, dit Istvek, qu'un événement grave est survenu. Daniel Toth possède la faculté de certains oiseaux, qui sentent par avance les orages, ou les tremblements de terre. Quand vous serez mieux, jeune fille, vous partirez. Oh ! je ne vous chasse pas, j'ai été heureux de vous connaître, heureux que vous ayez accepté de venir ici ce soir. Seulement, voyez-vous, il serait préférable de vous éloigner de cette maison. De vous éloigner de nous.

— Vous craignez quelque chose ?

— Rien de précis encore. Mais le propre des cataclysmes est de fondre sur les imprudents avec la rapidité des éclairs. Tout peut arriver. »

Il répéta, pénétré :

« Tout, même le pire. Car il existe un proverbe espagnol selon lequel « le pire est toujours certain».

Il sourit, ajouta :

« Notre peuple est habitué au pire. Il s'y déplace à la façon des poissons dans les vagues de la mer, ou des oiseaux entre les nuages du ciel.

— Vous êtes si bon... »

Son sourire s'accentua :

« C'est que je suis si vieux ! »

Anne se dégagea :

« Eh bien, puisque vous pensez qu'il le faut, je vais partir. Voulez-vous transmettre à Daniel... »

Le vieillard l'interrompit :

« Non, jeune fille. »

Elle tressaillit :

« Mais... je ne comprends pas ?

— Tant que nous ignorons ce qui se trame, évitez de voir Daniel Toth. Ne lui parlez pas. Ne lui faites tenir aucun message. Que pour vous, il soit... mort. »

Anne cria :

« Oh ! non, non, c'est impossible ! »

De nouveau, elle se blottit contre le vieil Istvek:

« Si vous saviez ce qu'il m'a dit... ce qu'il a eu à peine le temps de me dire... mais que j'ai bien entendu, tout de même ! »

Istvek murmura, sans se troubler :

« Qu'il vous aimait, n'est-ce pas ? »

110

Il n'attendit pas la réponse, reprit, du même ton égal :

« Est-ce vraiment surprenant ? Moi, je m'en suis douté dès que, pour la première fois, il a prononcé votre nom. Il y a des intonations qui ne trompent pas. »

Anne releva la tête vers le juif :

« Mais, Monsieur, moi je n'ai pas encore pu lui répondre...

— Si Yahvé le veut, Yahvé lui inspirera votre réponse. Laissez donc le Seigneur prendre toutes choses entre ses mains. Vous croyez en l'existence de Dieu, jeune fille ?

— Oui, dit Anne. Mais... un Dieu sans cruauté !

— Dieu n'est pas cruel, expliqua Istvek. Ce sont les hommes, qui sont cruels. Quand Dieu s'adresse aux hommes, il est bien forcé, pour se faire comprendre, d'employer le langage des hommes. »

Il prit la jeune fille sous les épaules, l'obligea à se redresser :

« Partez, à présent. Je me souviendrai de vous. »

Il désigna Siméon, Sarah, Myriam — et tous les autres, qui s'étaient levés à leur tour :

« Eux aussi, se rappelleront... ce sabbat si bien commencé, grâce à vous. »

Siméon escorta Anne jusqu'à la poterne qui commandait l'entrée du palais.

Tout en chevauchant, il dit :

« Pour moi, je suis né loin d'ici. Dans un pays de froid et de brumes. Mon père était chasseur.

111

Il tuait des ours, et des sangliers. Il tannait les peaux, les vendait. Et le village où nous avions notre maison se nourrissait de la chair de ces animaux.

— Pourquoi êtes-vous venu en Espagne ? interrogea Anne.

— C'est une longue histoire. Nous avons quitté la Hongrie un soir. Nous étions trente. Sous la conduite d'un rabbin appelé... Oh ! voyez comme cela est terrible ! Je ne me souviens plus de son nom. Enfin, nous nous sommes mis en marche. Ce fut long, et beaucoup d'entre nous moururent en chemin.

— Que cherchiez-vous ?

— Une terre », dit-il.

Il ajouta, plus bas :

« Depuis si longtemps, nous la cherchons... »

Le palais dressait devant eux sa silhouette massive, sur laquelle flottaient les étendards. On entendait, venus de partout, les appels rauques des sentinelles :

« Tout est calme !

— Tout dort ! Et je veille ! »

Siméon arrêta son cheval devant la herse :

« Je ne vais pas plus loin. Adieu, Anne. »

Elle secoua la tête :

« A bientôt, Siméon.

— N'oubliez pas ce que vous a dit Istvek.

— Non, mais... Vous autres, n'oubliez pas non plus qui je suis, une petite fille sans importance, mais que le prince de cette ville prend plaisir à entendre bavarder. Il veut me prouver sa reconnaissance. Moi, je sais bien ce que je lui demanderai, comme cadeau. »

Siméon ne répondit pas. Il ne voulait pas lui faire de peine. Mais au fond, il pensait que, si les craintes d'Istvek se justifiaient, un vieux prince et une très jeune fille ne pèseraient pas très lourd dans la balance du tribunal de l'Inquisition.

Doña Jovinez attendait Anne-Sans-Coin. La veille prolongée avait cerné ses yeux à fleur de tête. En reconnaissant le pas de la jeune fille, elle s'empressa.

« J'étais inquiète... Les veilleurs ont annoncé...

— Je sais, dit Anne. Il est tard. »

Dona Jovinez était entrée dans la chambre à coucher. Déjà, elle ouvrait le lit, préparait l'oreiller en en lissant les plis du tranchant de la main.

Anne secoua la tête :

« Ecoutez, doña Jovinez, je vous suis très reconnaissante, mais j'ai une migraine... ce soir, exceptionnellement, laissez-moi me coucher seule. Vous vous agitez, et cela me donne le vertige !

— Mais... je dois... »

Anne sourit :

— Chère doña Jovinez ! Comme si cela était nouveau pour moi, que de me coucher seule ! Vous oubliez d'où je viens... Là-bas, dans la montagne, il n'y avait personne pour prendre soin de moi. Bien au contraire. »

La gouvernante rougit :

« Eh ! Je le sais, mademoiselle ! Mais est-ce une raison pour refuser les bonnes choses ?

— Non, convint la jeune fille, ce n'est pas une raison. Pourtant, j'ai parfois besoin de retrouver un peu de mon passé. »

Doña Jovinez, sous ses apparences de femme rigide, dévolue au culte de « l'étiquette », était une personne amicale, chaleureuse : au fond d'elle-même, elle ne souhaitait et n'espérait rien d'autre de l'existence que de rendre service. Elle comprit qu'Anne désirait un peu de solitude.

« La solitude, pensa la duègne. Quel luxe ! J'en ai toujours été privée. Peut-être est-ce justement cela que cette enfant attend de moi, que je la laisse tranquille. »

Elle fit la révérence, sortit à reculons sans ajouter un mot.

Comme elle fermait la porte, Anne murmura : « Merci, Elena... »

Car Elena était le prénom, jamais usité, de doña Jovinez.

Anne ramena jusque sous son nez le revers de la couverture. Les draps, l'oreiller, les dentelles — tout cela sentait le chaud des prairies sur lesquelles le linge avait été étendu.

A cause du vent de la mer, qui retroussait les vagues et se chargeait d'une froide humidité d'écume, les nuits de Cabiosco étaient fraîches : la jeune fille tira sur elle la courte pointe brodée aux armes du prince.

Armes insolites, en vérité : deux hippocampes entrelacés. Cela signifiait que le prince se sentait le père de tous ceux qui vivaient près de lui, les hippocampes étant parmi les très rares animaux de la création à assumer le rôle ingrat ordinairement dévolu aux femelles : celui de porter et de nourrir la progéniture qu'ils avaient engendrée.

La jeune fille se sentait épuisée comme jamais. Si elle l'avait pu, elle eût pleuré. Mais Anne n'avait pas, selon l'expression, la larme facile.

Elle étendit les jambes, s'étira, dénouant ses membres

Elle imaginait la nuit comme une chape de quiétude, enfermant les êtres en eux-mêmes, les rassasiant de cette tranquilité aussi indispensable à l'être humain que l'air qu'il respire.

Se tournant sur le côté, envahie de la douce chaleur du lit, elle ouvrit une prière — tout à fait comme on ouvre un livre de chevet :

« Faites, Seigneur, que je m'endorme vite, très vite ! »

... Et la prière retomba, une fois de plus semblable au livre.

Anne dormait.

Ailleurs, le prince Enrico de Cabiosco allumait un feu sous une théière aux anses sculptées. De l'occupation arabe, il avait conservé la passion du thé infusé avec de la menthe fraîche et du sucre en quantité. Enveloppé d'un vêtement bleu, il tisonnait les braises grosses comme des guêpes. Une vapeur fluide posait sur le front du vieux prince des goutelettes humides.

Augusto de Cronatia gratta à la porte, puis entra :

« Le prieur Morelo, Altesse.

— A cette heure-ci ? fit le prince avec étonnement.

— Il dit avoir quelque chose d'important à vous communiquer. »

Enrico de Cabiosco haussa les épaules, avec fatalisme :

« Tous autant que vous êtes, vous finirez par

me faire regretter le temps où je gisais là, dans ce lit, presque mort !

— Dois-je renvoyer le prieur ?

— Non, bien sûr que non ! Mais, Augusto, avoue qu'il est remarquable que les événements d'importance choisissent la nuit pour... Allons, fais-le entrer ! »

Jaime de Morelo fut bref. Lui-même ne se souvenait pas d'avoir jamais été aussi bref : il annonça au prince qu'un tribunal inquisitorial fonctionnerait désormais entre les murs de la ville ; et que lui, prieur et serviteur de l'Eglise apostolique, catholique et romaine, en assumerait la pleine et entière présidence.

Enrico de Cabiosco écouta la déclaration du moine. Puis, versant un peu de thé brûlant dans une tasse de porcelaine d'Autriche, il dit :

« Quoi d'autre ?

— Rien, Votre Altesse.

— En êtes-vous sûr ? fit le prince, avec insistance.

— Tout à fait sûr, Votre Altesse. »

Enrico sourit :

« Pas moi, mon bon père. Il y a autre chose. Certes, je me relève difficilement, lentement, d'un mal auquel j'ai de peu manqué succomber. Mais voyez-vous, mon père, si mes bras et mes jambes étaient paralysés, mes oreilles fonctionnaient. J'ai reçu des ambassadeurs, don Morelo... Ils m'ont dit tout ce qu'il convient de savoir sur la Sainte Inquisition. Et je prétends que vous oubliez l'essentiel...

— Plaît-il ? fit le moine avec hauteur.

— Entendons-nous bien, don Morelo. C'est à vous, l'Inquisiteur nommé, reconnu, qu'il appartiendra de désigner les coupables. Mais... ensuite ?»

Le moine baissa la tête :

« Ils seront mis à mort, Votre Altesse. Comme le veut la coutume de justice.

— Mis à mort, hein ? Comment ? Par le feu ?

— Par le feu, oui, dit Jaime de Morelo.

— Et, mon bon père, qui donc allumera les fagots du bûcher ? Vous-même ? »

Morelo se redressa :

— Les hommes de Dieu ne peuvent donner la mort. Enfin... pas de leurs propres mains. Simplement, ils confient le criminel au pouvoir séculier.

« Parlons clair, dit le prince en souriant à demi. Vous déclarez un individu coupable. En suite de quoi, vous le livrez au bourreau.

— À la justice, pas au bourreau. »

Enrico éleva sa tasse de thé, en huma le fumet. Puis :

« Cela revient exactement au même. En somme, il va falloir que je désigne un bourreau. Et les aides dudit bourreau. »

Morelo s'inclina.

— Eh bien, reprit le prince, je le ferai. Et cependant, lorsque les armées royales ont repris cette cité, la première décision que j'ai signée fut de supprimer le poste de... de tueur accrédité !

— Croyez bien, commença Morelo, que je suis... »

Le prince éleva la main :

« Je ne crois rien, mon père. Voulez-vous venir par ici ? »

Il invita le moine à s'approcher de l'une des fenêtres, en écarta les rideaux. Alors, désignant l'espace entre la terre et le ciel :

« Qu'est ceci, don Morelo ?

— La nuit », articula péniblement le prieur.

Enrico laissa retomber la tenture devant la fenêtre :

« Là nuit. Oui. La nuit tombe sur ma ville.

— Le jour va se lever, au contraire... »

Le prince sourit — un sourire froid, presque méprisant :

« La nuit, vous dis-je. *Votre* nuit. »

8

AU MATIN, après s'être laissée coiffer et habiller par ses trois servantes, Anne se dirigea seule vers la salle où le prince donnait audience.

Il faisait une chaleur torride. L'air semblait en suspension, pétrifié par le soleil au point que l'on se demandait comment les oiseaux parvenaient à s'y frayer un chemin.

Un crissement continu montait des plaines : le chant des plantes et des pierres, suintant d'impossibles larmes, au cœur de la fournaise.

Et Anne pensait :

« Voilà l'enfer, dans toute son horrible splendeur. »

Elle emprunta le large couloir, tendu de tapisseries, qui menait aux appartements d'Enrico de Cabiosco. Les gardes, engoncés dans leurs cuirasses de cuir et de métal, la suivirent des yeux. Avec envie : Anne était comme un vent frais, parfumé, une course rapide de la brise au-dessus d'un désert.

Parvenue devant la porte à double battant qui fermait l'entrée de la salle, elle s'arrêta : deux sentinelles avaient incliné leurs hallebardes, lui interdisant le passage.

Elle dit, surprise :

« Voyons, le prince m'attend... comme chaque jour. »

Les soldats parurent ne point avoir entendu.

« Mais, insista la jeune fille, vous me reconnaissez ? Vous, vous êtes Pablo... Et vous, originaire d'Egypte, votre nom est Arphis. »

Une portière latérale se souleva. Augusto de Cronatia fit un signe aux soldats, qui relevèrent leurs armes ; puis, le majordome s'inclina devant Anne :

« Vous désirez voir Son Altesse, mademoiselle ?

— Que signifie tout cela ? demanda-t-elle. Comme si vous ne saviez pas, Augusto... »

Elle s'arrêta, troublée par le visage grave du vieux serviteur :

« Augusto... le prince... une rechute ?

— Le prince va bien, dit l'homme. Ce sont les affaires d'Etat, mademoiselle, qui sont malades. »

Cronatia, comme gêné, jouait avec la dentelle de ses poignets :

« Pardonnez-moi, mademoiselle. Je voudrais pouvoir vous en dire davantage. »

Elle murmura :

« Ne vous fatiguez pas, Augusto : je crois bien, malheureusement, avoir deviné. »

Elle pivota sur elle-même, s'éloigna.

« Doña Jovinez...

— A votre service, mademoiselle ?

— Il y a une chapelle, dans ce château, n'est-ce pas ? Du moins, un endroit... »

La gouvernante la coupa :

« Autrefois, il y en avait une. Une chapelle grande comme une église, en vérité. Mais les Infidèles ont arraché les tapisseries, brûlé les tableaux. »

Elle baissa le ton, ajouta :

« Décapité les statues ! Oui, mademoiselle, les statues de Notre-Seigneur et de Notre-Dame.

— Où se trouvait la chapelle ? »

Doña Jovinez expliqua :

« Eh bien... ce palais, ainsi que vous le savez, avait autrefois un rôle de forteresse. Il était donc prêt à subir toutes sortes d'attaques, ou de sièges. La chapelle avait été construite dans les souterrains. Ainsi, si le château était envahi, le tabernacle était protégé des impies jusqu'au tout dernier moment. Une lourde porte, bardée de fer, séparait la chapelle du reste des souterrains. Pour ouvrir, il eût fallu employer la poudre explosive. Ou un bélier d'une force colossale.

— Je voudrais y aller, » dit Anne d'une voix neutre.

Tout à fait comme si cela n'avait aucune importance.

Doña Jovinez se récria :

« Mais, voilà qui est impossible !

— Et pourquoi ?

— La chapelle est désaffectée ! A quoi bon... ?

— Alors, fit doucement la jeune fille, si l'on veut prier ailleurs que dans l'oratoire du Palais ?

— Il reste les églises. Cette ville ne compte pas moins de quinze églises. »

Anne sortit, sans se retourner.

Elle s'engagea dans les ruelles étroites qui reliaient le palais aux divers quartiers de Cabiosco. C'était le jour de foire, et des marchands avaient envahi le pavé, protestant de la fraîcheur de leurs poissons, du parfum de leurs plans de lavande, de la résistance de leurs cuirs, de la robustesse de leurs chaudrons de cuivre, de leur vaisselle de terre vernissée.

Des enfants — la plupart en haillons — s'accrochaient à la robe de la jeune fille. Ils l'appelaient « princesse » ou « Votre Grandeur » ; d'autres demeuraient immobiles, fascinés par les cheveux d'Anne, d'une blondeur pâle, inconnue dans cette région.

Anne ne possédait rien : aussi se contenta-t-elle de distribuer des sourires, et des paroles amicales. Elle s'exprimait en français, et ce langage que n'entendait pas la marmaille auréolait la jeune fille d'un mystère dont les gamins parleraient longtemps, comme de la plus belle découverte de leur courte existence, dans la poussière des terrains vagues.

Enfin, Anne vit une église ; un cube de pierres blanches, surmonté d'un clocheton couvert de tuiles, roses et poreuses. Elle poussa la porte.

Une nef, trapue, aux épaisses colonnes ; un sol aux dalles disjointes qui sonnait clair ; ici et là, en désordre, des chandeliers de fer forgé, aux bras torsadés, où palpitaient des chandelles grasses et courtaudes.

Seul l'autel avait une certaine allure : il était constitué par une haute table de bois, dont les

122

pieds figuraient des angelots aux ailes déployées. Des miroirs étaient incrustés dans le rebord, qui renvoyaient les lueurs vacillantes des cierges. Une lourde nappe couvrait le plateau, avec des retombées de dentelles, des broderies d'argent.

Une odeur épicée flottait dans l'air : parfum d'encens et de cire, de suif et de marbre humide.

Brusquement, une paix bienfaisante pénétra la jeune fille. Même quand leur architecture ou leur agencement intérieur diffèrent du tout au tout, les églises ont un air de famille. Elles dispensent un identique silence, une même lumière incertaine, une résonance toujours semblable.

Encore près du porche, Anne hésita. Elle regarda autour d'elle. La nef était vide, à l'exception d'une lointaine silhouette, là-bas, tout près de l'autel :

« Un moine de la confrérie des pénitents blancs, pensa la jeune fille. »

De crainte de déranger l'oraison de cet homme replié en lui-même, elle s'agenouilla non loin du bénitier de marbre, le plus silencieusement qu'elle put. Toutefois, le banc émit un long craquement.

Et l'homme en prière se retourna.

C'était Daniel Toth.

L'architecte se leva, vint vers Anne, à pas lents. Elle le regardait s'avancer, toujours agenouillée, mais le visage tendu vers lui.

Il murmura :

« C'est le hasard...

— Je ne vous avais pas reconnu.

— C'est pourquoi je dis, c'est le hasard... Ou plutôt, ne croyant pas au hasard, je dis c'est Dieu. »

Elle lui sourit, la main tendue au point de frôler le manteau blanc du jeune homme :

« Daniel... quelle joie ! »

Toth se détourna :

« La joie ?

—... de vous revoir ! Oui, de vous revoir sans avoir pour autant désobéi. Mais, c'est vrai, vous ne savez pas. Le vieil Istvek m'a ordonné de vous éviter.

— Il a raison, fit Daniel.

— Alors, demanda-t-elle avec logique, pourquoi êtes-vous venu vers moi ?

— Je vous ai quittée si vite hier soir. J'ai encore tant de choses à vous dire. Je ne sais pas par où commencer. »

Elle inclina la tête :

« Moi aussi, Daniel, j'ai des choses... à vous dire ! »

Il parcourut du regard l'église vide :

« Sortons d'ici. Nos phrases résonnent...

— Il n'y a personne pour nous entendre. »

Il hocha la tête :

« Derrière chaque tenture... derrière chacune de ces colonnes... partout...

— Est-ce que la maison de Dieu n'est pas un lieu priviligié, Daniel ? Un endroit où quiconque a la possibilité de se réfugier sans rien avoir à craindre ?

— Hier, c'était encore vrai. Plus aujourd'hui. »

Il insista, continuant de jeter des regards à la dérobée :

« Venez, je vous en prie ! »

Une fois à l'extérieur, il lui prit la main. Il

l'entraîna vers une sorte de sentier raviné, qui longeait le mur gauche de l'église.

Elle le suivit, sans résister.

Il désigna une grille où s'attachaient des liserons :

« Le cimetière. Là, nous ne serons pas dérangés. »

Enfin, à l'ombre d'un bizarre monument de marbre qui portait des inscriptions latines en lettres d'or, il osa serrer la jeune fille contre lui :

« Vous voyez, Anne ? Vous voyez où nous en sommes ? A nous rencontrer chez les morts... Et cela ne fait que commencer !

— Je ne comprends pas, dit-elle. Ce matin, il se tenait chez le prince Enrico une grande, une importante réunion. Si grande et si importante que je n'y ai pas été admise.

— Oui, dit-il, je suis au courant. Jaime de Morelo et quelques moines ont été reçus en audience privée. Je n'avais pas peur pour rien, Anne. Tout ce que je craignais est arrivé.

— L'inquisition ? »

Il se mordit les lèvres :

« Je ne sais plus que faire, je ne vois plus clair. Il me semble qu'un brouillard formidable s'est abattu sur la ville. »

Elle lui sourit :

« Je l'ai promis à Siméon, cette nuit. Et maintenant, je vous le redis, à vous... je parlerai au prince.

— Le prince ? Une simple carte, dans un jeu qui en comporte des dizaines d'autres, infiniment plus fortes.

— Vous avez vu Jaime de Morelo ? Alors ?

— Alors, que voulez-vous que je vous dise ? Il sait que je suis juif... et que je n'ai jamais cessé de l'être, à fond.

— Il vous a menacé ? »

Daniel soupira :

« Ce n'est pas son genre. Il a joué les hommes accablés. »

Elle se blottit contre lui :

« Pouvez-vous oublier, juste un instant, l'Inquisition et tout le reste ?

— Pourquoi, Anne ? »

Elle murmura :

« Parce que, hier, juste avant de partir, vous avez dit quelque chose de si étrange... Quelque chose qui me semble, à moi, plus important que tout. »

Il fronça les sourcils. Elle lui posa un doigt sur les lèvres, reprit :

« Vous avez dit que vous m'aimiez, Daniel. »

Il ne répondit pas.

Sur les tombes, et sur l'herbe sèche et coupante entre les pierres, des mouettes se posaient, s'envolaient, revenaient.

Le soleil se tenait à la verticale, effaçant les ombres, et la chaleur intense imprimait à l'atmosphère une longue vibration, comme une vapeur incolore, une brume translucide montant sans cesse vers le ciel, se donnant naissance à elle-même.

On entendait, lointains, les appels des marchands. Et le heurt sourd d'un maillet sur une pièce de bois : sur le port, un pêcheur réparait une barque.

« J'ai dit cela, fit enfin le jeune homme. Je le pensais.

— Et aujourd'hui... vous ne le pensez plus ?

— Istvek vous a ordonné de ne plus chercher à me voir. Il m'a donné le même ordre, exactement. Et je vous assure, c'était un ordre, pas un conseil. Pour l'heure, je suis encore Daniel Toth, architecte naval, sachant les secrets des grands bateaux. Demain, je serai le juif Toth. Le juif hérétique Toth.

— Vous êtes fou !

— Je suis fou ? Peut-être. D'ailleurs, le monde entier est devenu fou, Anne. Bientôt, vous verrez des troupeaux de déments courir les rues en hurlant. »

Elle se serra plus fort contre lui, enfonça son visage dans les plis du grand manteau blanc.

« Sans vous, les bateaux peuvent-ils prendre la mer ?

— Non, dit simplement Toth.

— Alors, Jaime de Morelo vous laissera en paix. Il s'est beaucoup confié, durant le voyage de France jusqu'à Cabiosco. Il rêve de donner à cette ville...

— Des terres vierges ?   Vous ne savez pas à quel point les hommes peuvent rapidement échanger un rêve pour un autre ! »

Subitement, il frémit. Il repoussa Anne et, d'instinct, porta la main à la garde de son épée recourbée.

« On vient ! »

Elle chercha à le rassurer :

« Une vieille femme, sans doute qui se rend sur une tombe avec des fleurs plein les bras.

Mais il n'écoutait plus. Il s'était élancé vers le muret bas qui ceinturait le cimetière, l'avait franchi d'un bond.

Un instant, son manteau avait volé, déployé comme une aile.

Puis il avait disparu.

Anne tendit l'oreille. Le pas s'approchait ; un pas lent, traînant, qui bousculait les cailloux de l'allée.

Ainsi qu'Anne l'avait deviné, il s'agissait en effet d'une vieille femme, vêtue de noir. Apercevant la jeune fille, la visiteuse s'arrêta. Elle devait connaître Anne, car elle lui parla en français.

Elle passa la langue sur ses lèvres craquelées, demanda :

« Pardon, jeune demoiselle, mais... n'y avait-il pas quelqu'un, juste à l'instant, près de vous ? »

Pour la première fois de sa vie, Anne mentit :

« Non, vous vous trompez : j'étais seule.

— Tiens, fit la femme, j'aurais cru, pourtant... »

Anne s'approcha d'elle. La vieille tremblait de tous ses membres — non de peur, mais à cause de son âge, et des fatigues, et sans doute des chagrins accumulés.

« A supposer qu'il y ait eu quelqu'un... ? » commença Anne.

La femme sourit, montrant une bouche sans dents :

« Il aurait fallu prévenir ce « quelqu'un »... l'avertir qu'il devait se sauver, vite, très vite !

— Et pourquoi ? »

La vieille fit entendre un petit rire désagréable :

« Parce que, jeune demoiselle, parce que... »

Elle chuchota :

« Des soldats prennent position autour de l'endroit. Pour éviter que, désormais, les tombes soient profanées. Oui, oui, profanées. Un bruit s'est répandu dans la ville. Et cela va si vite, jeune demoiselle, un bruit qui se répand. Ce... « bruit » dit que, la nuit, des hommes impies viennent se réjouir sur les tombeaux des soldats espagnols morts pour libérer Cabiosco. Le bruit ajoute que les blasphémateurs sont des juifs. »

Anne serra les dents, pour ne pas crier. Elle attendit que les battements désordonnés de son cœur se fussent calmés, puis elle demanda :

« Qui êtes-vous, madame ? »

La vieille répondit, articulant avec lenteur :

« Une amie. Rien qu'une amie. On me tient plus ou moins pour une espèce de sorcière, par ici. »

De nouveau, elle poussa son bizarre petit rire :

« Parce que je suis très laide, et très vieille. Mon nom est Donation. Rappelez-vous, Donation. Ma maison est pleine de coins et de recoins. Il est facile de s'y cacher. En cas de péril. Si besoin était, sachez qu'il vous suffira de demander la maison de Donation.

— Demander à qui ?

— Oh ! tout le monde me connaît. Je veux dire, tout le monde sauf les soldats, les moines. »

Anne s'éloigna, pensive.

En franchissant la grille du cimetière, elle constata que la vieille Donation avait dit vrai. Une dizaine de gardes, revêtus de la cotte de cuir, s'étaient assis le dos contre le mur.

Ils regardaient droit devant eux, indifférents.

De retour au palais, Anne gagna sa chambre. Elle opposa un mutisme absolu aux questions déguisées de dona Jovinez. Elle ferma à clef la porte de sa chambre, et s'effondra sur son lit.

Elle perdait pied.

Comme au temps de son enfance — lorsqu'elle voyait le visage de son père devenir pâle, ses épaules tressauter, et les larmes, qu'il cherchait pourtant à retenir, embuer ses yeux.

« Qu'y a-t-il, père ? » demandait-elle.

Il secouait la tête. Il est des chagrins qui n'appartiennent qu'aux grandes personnes, contre lesquels la tendresse des petites filles est impuissante. Cette impuissance, Anne la haïssait. Bien que dénuée d'ambition personnelle, elle supportait mal d'assister à la souffrance d'autrui sans pouvoir rien faire pour la soulager.

Aujourd'hui, une fois encore, un homme souffrait devant elle. Elle eût voulu ne pas le quitter, mettre ses pieds dans chacun de ses pas, s'accrocher à lui et lui répéter, inlassablement :

« Mais je suis là, moi ! Ta petite Anne est là, avec toi, tout contre toi, pour te consoler, te réchauffer, te redonner courage ! »

Elle n'avait pas cherché à suivre Daniel Toth de crainte qu'il ne prît son affection pour de la pitié ; bien que peu accoutumée au monde masculin, Anne pressentait que l'homme éprouve mépris et aversion pour qui a pitié de lui.

Mais à présent qu'elle l'avait laissé partir, elle craignait de ne jamais le revoir. Si la menace se faisait plus pesante, elle devinait que Toth et les siens tenteraient par tous les moyens de se dissimuler. Ils deviendraient semblables à ces lézards qu'elle observait sur les remparts, toujours en alerte, et qui se fondent au moindre mouvement insolite dans le secret des pierres, qui s'enfoncent dans le lacis des failles, invulnérables.

Cabiosco n'était pas une grande ville : les habitants, pour la plupart, se connaissaient les uns les autres. Mais Anne savait qu'il devait exister ce que l'on eût pu appeler un « Cabiosco-bis », cité dans la cité. Sous les ruines du quartier que les combats avaient ravagé, il y avait certainement des caches profondes, communiquant entre elles. Elle se rappelait ce que lui avait révélé le prince :

« Nous avons vaincu les Maures parce que cette ville est trouée de part en part. Chaque nuit, des semaines durant, des soldats espagnols s'infiltraient, disparaissaient, ombres parmi les ombres. Quand ils furent certains d'être assez nombreux, tous surgirent à la fois, dans la lumière éblouissante. Les Arabes crurent à des revenants... Jamais ils ne comprirent d'où avait pu sortir cette armée barbue, poussiéreuse — et mortelle. »

Elle imaginait Daniel, traqué sous les pierres, comme le lapin que le furet tente de forcer dans la nuit du terrier.

Et plus elle le voyait malheureux, démuni de tout, privé de soleil et de liberté vraie, plus elle l'aimait. Certes, lorsque son père — ou bien, parfois, maître Godefroy — racontaient au cours des veillées d'hiver les légendes chevaleresques, Anne avait rêvé rencontrer un jour l'un de ces cavaliers aux armes étincelantes, qui arrachaient les jeunes filles à leurs chaumières et les entraînaient vers des destinées plus fabuleuses les unes que les autres.

Mais cela, elle le savait, n'était qu'une création de l'esprit : un songe offert aux demoiselles, comme d'autres offrent des fleurs, des gâteaux de miel et d'amandes. La réalité était toute autre.

La réalité, c'était Daniel Toth. Un jeune homme beau, sans doute courageux, riche, et dans le même temps si fragile... Qui s'apeurait comme un oiseau sur une branche. Elle se souvenait de la vélocité avec laquelle, tout à l'heure, il avait fui le cimetière ; elle se rappelait le ton angoissé de sa voix, lorsqu'il évoquait l'Inquisition.

Découvrant la vraie nature de l'homme, Anne-Sans-Coin discernait aussi le rôle que la femme peut tenir auprès de lui, la place que la Création lui impose d'occuper : non point à genoux, les mains jointes, le visage levé, éperdue d'admiration et de gratitude ; mais debout, une main dans celle compagnon.

D'abord, ces pensées avaient dérouté la jeune fille ; puis, elle en avait gouté la saveur inattendue — et s'était surprise à l'aimer, et à vouloir désormais y tremper ses lèvres, chaque jour de sa vie.

« L'aider... se dit-elle. Comment l'aider ? »

Alors, brusquement, elle décida d'aller voir l'Inquisiteur, don Jaime de Morelo.

9

COURBÉ sur son écritoire, la plume levée, le moine relisait un texte qui serait, dès le lendemain, lu aux habitants de Cabiosco par les hérauts portant l'étendard du prince Enrico et la bannière or, blanche et bleue de la Vierge, patronne et protectrice de la ville.

Mais Jaime de Morelo ne parvenait pas à fixer son attention : comme mûs par une volonté individuelle, les mots refusaient de s'associer les uns aux autres ; chacun dansait devant les yeux de l'Inquisiteur une ronde sautillante, une odieuse sarabande traînant derrière elle son cortège d'idées folles.

Ces mots, qu'il avait inscrits lui-même, Jaime de Morelo s'étonnait qu'ils vinssent de lui. Des mots comme « dénonciation », « peine rigoureuse », « tribunal ».

Il secoua la tête, murmura :

« Tout cela vient de ce que je n'ai pas fermé l'œil de la nuit ! J'oublie que je vieillis. »

Mais il se mentait, et savait parfaitement qu'il se mentait ! Cela, il est vrai, ne l'empêchait pas de se chercher de bonnes raisons :

« Et la chaleur ! La chaleur endort les esprits, trouble l'entendement ! Jamais nous n'avons connu un commencement d'été à ce point brûlant. »

Dans un angle, aussi rigides que des statues, trois religieux paraissaient être entrés dans leur éternité : les mains sur les genoux, le menton légèrement incliné sur la poitrine, ils attendaient.

« Frères, dit soudain Morelo en se tournant vers eux, j'ai presque achevé...

— Nous ne sommes pas pressés, mon père, murmura l'un des moines en desserrant à peine les lèvres.

— C'est aussi, fit l'Inquisiteur, que tout cela est fort délicat. La délation est chose dangereuse. Comment connaître la vérité ? »

L'un des religieux sourit, en silence.

« Ah ! frère, s'écria le prieur, je sais bien à quoi vous pensez ! Mais la torture... Je me demande parfois... Soumis à la question, ne serais-je pas prêt à reconnaître n'importe quoi, pourvu que l'on arrête mon supplice ? Ceci est grave. »

Le moine, sans cesser de sourire, leva la main :

« Dieu, dit-il, soutient l'innocent, l'affermit et lui donne la force de résister. En revanche, il abandonne le criminel, qui confesse les horreurs innomables.

— Oui, fit l'Inquisiteur, d'un ton pensif. Oui, je sais cela. Mais ne peut-il y avoir des moments où Dieu est tellement occupé, que...

— Mon père, l'interrompit le moine, vous

134

semblez oublier que Dieu est partout à la fois. Que sa grâce est inépuisable.

— Je ne l'oublie pas, frère. »

Il frissonna, malgré la chaleur étouffante.

Il reprit, comme s'il se parlait à lui-même :

« Briser des membres ! Pourquoi veut-on que je brise des membres ?

— *Ad majorem Dei gloriam,* fit le religieux.

— Pour la plus grande gloire de Dieu, certes ! Mais... »

Le moine s'agita sur sa chaise :

« Mon père, vous êtes fatigué. Je pense que nous devrions laisser là cette conversation qui... que...

— Je vous gêne ? interrogea doucement Jaime de Morelo. Ne pouvez-vous essayer de comprendre mes scrupules ?

— Non, nous ne le pouvons pas. Quand il s'agit de servir le Christ, il n'y a pas de scrupules qui tiennent.

— Pardonnez-moi... »

Et l'Inquisiteur, décontenancé, allait se replonger dans la lecture de la proclamation, lorsqu'on frappa à la porte. Un serviteur entra :

« Une jeune fille demande... »

Morelo devina qu'il s'agissait d'Anne. Il hésita. De nouveau, il se tourna vers les trois religieux immobiles :

« Mes frères, j'avais en effet convoqué cette enfant, qui sait des choses... beaucoup de choses. »

Les moines, avec un ensemble parfait, se levèrent :

« Apprenez, mon père, apprenez. Avant d'agir, il faut apprendre. »

Ils sortirent par une porte dérobée, sur laquelle retomba une tapisserie représentant le Christ pardonnant au bon larron. L'Inquisiteur regarda la tapisserie, comme s'il la voyait pour la première fois. Il plissa les yeux, pour mieux lire l'inscription située au cœur du dessin :

Ne juge pas, si tu ne veux être jugé à ton tour !

Il rit, avec un peu d'amertume :

« Seigneur, vous êtes ironique, parfois. »

Anne entra, fit une ample révérence :

« Monseigneur... »

Jaime lui sourit :

« Ne m'appelez pas ainsi, s'il vous plaît. Dites-moi : « Père. »

Et il ajouta, lentement :

« Père...n'est-ce pas le plus beau des titres, petite fille ? »

Elle se releva :

« Un père... une petite fille... nous devrions bien nous entendre ! »

L'Inquisiteur se détourna, disant :

« Je suppose que oui. »

Puis, sur un ton plus amical, presque enjoué :

« Et alors, Anne ? Comment allez-vous ?

— Je ne sais pas.

— Vous ne savez pas ? fit-il étonné. Enfin, vous habituez-vous à la vie que nous menons ici ? A notre soleil ? A notre pauvreté ?

— La pauvreté est une vertu. Quant au soleil, je me demande si je pourrais désormais m'en passer.

— Excellent ! félicita le prieur. Asseyez-vous donc ! »

Elle se dirigea vers l'un des trois fauteuils où,

136

quelques instants auparavant, trônaient les trois religieux. Jaime de Morelo l'arrêta :

« Non, dit-il avec rudesse. Pas ici. »

Il se mordit les lèvres, furieux de s'être trahi. Mais il lui déplaisait par trop que cette jeune fille tendre s'assît à la place de l'un des trois hommes impitoyables. Cela le choquait, sans qu'il pût tout à fait s'expliquer pourquoi.

Il désigna sa propre chaise :

« Prenez plutôt ce siège. »

Anne obéit, sans surprise. Elle savait, pour avoir longtemps cheminé à son côté, que le moine n'agissait jamais sans raison. Il méditait chacun de ses actes, le moindre de ses propos.

« Eh bien, dit-il, me faites-vous une simple visite de politesse ? Ou avez-vous quelque chose à me demander ? »

Elle hésita, cherchant l'expression la plus juste. Elle dit :

« Je voulais simplement que vous me rassuriez mon père. »

Il écarquilla les yeux, ne comprenant pas :

« Vous rassurer ? Vous avez donc peur ? Pourtant, vous êtes une femme courageuse, Anne. Je le sais bien, je vous ai vue affronter des dangers qui eussent fait fuir bien des hommes ! »

Il hocha la tête, longuement, tandis que les souvenirs battaient leur rappel :

« Je me souviens... une nuit, particulièrement... nous avions établi notre campement au pied d'une chute d'eau. Un vent terrible s'est mis à souffler, aux environs de minuit. Nous nous sommes éveillés, ruisselants de cette écume que les rafales arrachaient à la cascade, et projetaient sur nous. C'est à cet instant que deux ours...

— Ne parlez pas de cela , » murmura-t-elle.

Il la considéra, avec une admiration mêlée de tendresse :

« Incroyable ! Vous vous êtes jetée sur le baudrier de Garcia, l'épée a brillé... Oui, incroyable, je le répète ! Cette espèce de petite fille — vous ! debout, l'arme bien assurée dans la main droite, faisant face aux fauves. »

Elle consentit à sourire :

« J'étais encore dans cette sorte de coma du sommeil. Je ne me rendais pas vraiment compte !

— Les ours ont détalé, dit pensivement le moine. Etes-vous capable de mettre en déroute n'importe quel monstre, Anne ?

— Depuis quelque temps, fit-elle, on me parle beaucoup d'un certain monstre, justement... Et c'est à son sujet que je souhaite être rassurée. Je voudrais être sûre qu'il ne mordra pas trop fort. Et qu'il n'est pas animé de cette fureur aveugle qu'on lui prête.

— Quel monstre ? »

Elle le regarda, de ses yeux clairs. Et il en fut troublé.

« L'Inquisition, mon père. »

Morelo eut un rictus. Il frémit :

« Ce n'est pas un sujet pour... »

Elle le coupa, décidée à aller jusqu'au bout :

« Si. »

Il s'exclama, dominant difficilement son agacement :

« Quoi ! Je le sais mieux que vous ! L'Inquisition est une affaire qui ne vous concerne pas.

138

Tenez-vous à l'écart et il ne vous arrivera rien.
Vous êtes une bonne chrétienne, Anne, cela je le sais.

— Mon père, fit-elle avec une ferme douceur,
je ne parlais pas pour moi.

— Pour qui, alors ?

— Pour quelqu'un que vous connaissez bien.
Et que vous aimez bien. Monsieur l'architecte
naval, Daniel Toth. »

L'Inquisiteur pâlit, mais ne répondit pas tout
de suite. Il marcha vers la portière de tapisserie, la
toucha comme s'il voulait s'assurer qu'elle ne
recélait aucun piège.

« Parlez plus bas, » dit-il.

Puis, comprenant qu'il lui était impossible de
se dérober :

« Bien, petite Anne. Qu'y a-t-il entre vous
et Daniel Toth ?

— Rien...

— Allons, ne me mentez pas ! »

Elle écarta les mains :

« Des mots, si vous voulez le savoir. Mais que
sont les mots ? »

Il répliqua, grave :

« Les mots de Daniel Toth pèsent lourd. S'il
est un homme de paroles, sur cette terre, c'est lui.
Il ne connaît que la vérité. Même si cette vérité est
dangereuse pour lui. Allons, parlez ! Que vous
a-t-il dit ? »

Elle répondit, avec une simplicité désarmante :

« Qu'il m'aimait. »

Morelo étouffa un cri :

« Et alors ?

— Alors, expliqua la jeune fille, il se trouve
que je crois l'aimer, moi aussi !

« — Qu'en savez-vous ? Oui, oui, que savez-vous de l'amour ? C'est une chose trompeuse, que l'amour. On croit, on s'imagine aimer. Le temps passe. Et l'on n'aime plus. Depuis que ce monde existe, que de sottises ont été faites au nom de l'amour ! Que de poèmes écrits inutilement, que de chansons composées sans raison !

— Vous pensez que l'amour n'existe pas, mon père ?

— Ah ! vous êtes agaçante ! Je n'ai pas dit cela... mais je prétends qu'il faut des années pour être certain — ou certaine — d'éprouver un sentiment d'amour. Vous connaissez Toth depuis si peu de temps...

— Oui, » reconnut-elle.

Mais elle ajouta aussitôt :

« Il n'empêche, mon père... »

L'Inquisiteur allait et venait à travers la pièce. Il se disait qu'un être humain est une bien petite chose, puisqu'il se montre incapable de prévoir les mouvements du destin.

Certes, Morelo comprenait ce qui fait que la nuit succède au jour, il savait à peu près de quelle façon s'organisait un corps humain, il se doutait de ces vérités plus immenses encore que sont les errances des étoiles du ciel, les phases de la procréation ; il devinait que l'homme ne cesserait jamais d'apprendre et, ayant appris, d'appliquer ses connaissances à parfaire son confort et sa puissance.

Pourtant, pensait-il, l'homme finirait peut-être par découvrir tous les mystères de la Nature, mais resterait toujours aveugle devant ses propres mystères.

Des mystères dont le plus dense, le plus obscur, était le mystère de l'amour.

140

Il s'écria, au comble de l'énervement :

« Vous aimez ! On vous aime ! Et vous vous moquez éperdument de savoir si cela est convenable ou non ! Voulez-vous que je vous dise ? Je vous croyais sage, et je me trompais. Vous n'êtes qu'une petite folle. »

Anne ne se troubla pas :

« Et vous ne répondez toujours pas à ma question !

— Non, je vous en pose une, à mon tour. Pourquoi aimez-vous Daniel Toth ? »

Anne dit à voix basse :

« Je vous répondrais volontiers si je le pouvais.

— Une oie ! Rien qu'une oie, voici exactement ce à quoi vous me faites songer !

— Quel mal y a-t-il ?

— Aucun mal, dit l'Inquisiteur, mais du danger. Toth est juif.

— Oui, fit la jeune fille. Et alors ?

— Et alors... Et alors... S'il était seulement juif, ce ne serait rien. Mais il est deux choses à la fois, deux choses tout à fait inconciliables. Chrétien le jour, juif la nuit !

— Il m'a expliqué..., commença-t-elle.

— Je sais. A moi aussi. Les deux soleils qui, en fait, ne sont qu'un seul et même soleil. Belle image, j'en conviens. Mais très éloignée de la réalité. »

Il cria, incapable de se retenir plus longtemps :

« Ce genre d'images, je les brûle ! »

Anne baissa les yeux :

« Donc, je vais repartir aussi inquiète que je suis venue...»

Il s'approcha d'elle, lui posa une main sur l'épaule. Puis, d'un ton radouci :

« Ne prenez aucun risque, Anne. J'ai demandé à Daniel de ne pas me déchirer. A vous, je fais cette prière, ne me défiez pas... Il ne faut pas — Oh, non ! Non, il ne faut à aucun prix ! — que vous ayez affaire avec le tribunal inquisitorial. Je le connais, moi, ce tribunal : il est mon œuvre. »

Il ajouta, dans un souffle :

« Une œuvre qui ne connaît pas la pitié.

— Si je fréquente les juifs...

— Vous devenez suspecte ! Une suspecte devient une coupable en moins de temps qu'il n'en faut pour le dire. »

Il lui prit la main, l'aida à se lever. En la reconduisant vers la porte, il dit encore :

« Anne, écartez-vous. Je vous en supplie. Je vais essayer d'épargner Daniel Toth. Ne me compliquez pas la tâche. »

Du bout de l'index, il lui toucha la joue, écrasa une petite larme ronde, toute gonflée :

« Ne pleurez pas. Je ne peux pas supporter de vous voir pleurer. »

La nuit. Une chouette blanche rasait les toits, jetant son cri acide.

L'Inquisiteur poussa la porte d'une auberge à deux étages dont la façade s'ornait de peintures naïves, représentant des poissons et des fruits, et où dominait la couleur ocre. Il franchit une première salle, encombrée de tables grossières, et pénétra dans une pièce plus petite où un couvert avait été dressé.

Le clair de lune, passant par une ouverture circulaire, posait sa lumière froide sur les bottes de paille qui faisaient office de sièges.

Daniel Toth s'avança vers le prieur, et le débarrassa de son manteau :

« Vous êtes pâle, don Morelo !

— Le manque de sommeil. »

Toth se pencha au-dessus d'un tonneau, versa un peu de vin dans une écuelle et la tendit au religieux :

« Merci d'être venu.

— Phrase idiote, fit Morelo avec humeur. Il était indispensable que je te parle. »

Daniel posa sur lui un regard d'enfant confiant, qui contrastait avec la virilité de ses traits. Le moine se déroba, gêné.

Puis, un serviteur entra, silencieux et furtif. Il déposa un plateau sur la table.

D'un coup de couteau, Jaime de Morelo partagea un melon par le milieu, en offrit une moitié à l'architecte. Il porta l'autre moitié à sa bouche, mordit à pleines dents. Le jus sucré commença de ruisseler sur son menton.

« Quelqu'un sait-il que vous êtes ici, avec moi ? interrogea Daniel Toth.

— Personne », répondit l'Inquisiteur.

Il ajouta, plus bas :

« Du moins, je l'espère ! »

Daniel sourit, amusé :

« Je vois ! Me voici devenu un personnage à ne pas fréquenter. Une espèce de bandit pestiféré.

— Stupidités ! s'exclama Morelo. Seulement, il est inutile d'attirer l'attention sur ton compte. Dis-moi... es-tu retourné chez le juif Istvek ?

— Oui, reconnut Daniel. Pour le prévenir.

— Ne rôde pas là-bas. Istvek ne risque rien. On ne peut pas l'obliger à se faire chrétien. Enfin... pas encore ! Mais en ce qui te concerne, Daniel, je

143

te conseille la fréquentation la plus assidue de nos églises. Si quelqu'un te dénonçait comme mauvais chrétien, je serais obligé de... »

Il s'arrêta. Toth reprit, à sa place :

« De « m'interroger » ! »

— Cette auberge est glaciale, dit brusquement le moine.

— Mangez, don Morelo. Cela réchauffe les sangs. »

Le prieur, un long moment, s'absorba dans la dégustation de son melon d'eau. Puis, comme si cela n'avait aucune importance, il dit :

« Anne-sans-coin est venue me trouver, ce tantôt. Je ne te demande rien. Mais... »

Daniel baissa les yeux :

— Elle vous a laissé un message pour moi ?

— Pas vraiment, fit le religieux. Cela dit... elle t'aime. »

Daniel regarda alors Jaime de Morelo avec intensité :

« Merci.

— Merci ? Et... de quoi ? »

L'architecte se mit à rire :

« C'est vrai ! Vous n'avez rien dit, et je n'ai rien entendu ! »

Morelo rit à son tour, de bon cœur :

« Parfait ! Tu deviens intelligent ! »

De nouveau, le serviteur entra dans la pièce. Cette fois-ci, il apportait un plat de poisson grillé. Quand il fut sorti, le prieur reprit la parole :

« Je voulais te voir au sujet des navires. Tu es toujours notre architecte naval, Daniel. Moi, vois-tu, je n'aurai désormais plus assez de temps à consacrer à ce travail. Je compte sur toi, totalement. Il devient d'une extrême urgence que la *Santa Luisa* et la *Virgo Coeli* soient prêtes à appareiller. »

Toth hocha la tête :

« Encore quelques mois...

— C'est trop.

— Mais... »

Jaime de Morelo se pencha :

« Comprends-moi à demi mot. Je veux que ces vaisseaux soient en état de prendre la mer d'ici trois semaines. Et puis... »

Il fit mine de regarder par la fenêtre, poursuivit :

« Et puis, j'ai pensé à leur apporter quelques modifications de détail. Afin qu'ils soient habitables par davantage de gens.

— Vous-même, vous avez dit qu'un équipage réduit...

— J'ai changé d'avis. »

Il se leva. Dans la pénombre, il paraissait encore plus grand. Il expliqua, d'une voix qui ne tremblait pas :

« Supposons que les choses tournent mal... Supposons que certaines personnes de cette ville se voient dans l'obligation de disparaître un certain temps, pour échapper à ce que tu sais... Alors, les personnes en question seront bien heureuses de trouver des navires prêts à les emporter. »

Il conclut :

« Aide-toi, le ciel t'aidera ! Parole merveilleuse, Daniel ! »

10

L E SOLEIL était debout à l'aplomb des terres, des plantes, des bêtes et des hommes, le soleil fier, dansant sur sa propre fournaise. Lorsqu'elle sortait, Anne sentait une épée brûlante s'enfoncer entre ses épaules. C'était l'été, en son plein.

En apparence, la vie continuait comme auparavant. La proclamation de Jaime de Morelo, contrairement à ce que l'on eût été en droit d'attendre, était passée presque inaperçue : les habitants avaient d'autres préoccupations. Pour l'heure, ils formaient un bloc compact, solidaire : tous ensemble, la main dans la main, ils luttaient pour que survivent les récoltes foudroyées par les orages quasi quotidiens. Pour que se conservent au moins jusqu'à ce qu'ils soient vendus, les poissons arrachés à une mer étale, tapie sur elle-même, couleur de plomb fondu.

Morelo, dans le silence de sa chambre, attendait.

Jusqu'alors, on ne lui avait proposé aucune proie et il en remerciait Dieu. Il pensait que, peut-être, l'Inquisition avait assez de renom pour inciter le peuple à suivre le plus droit, le plus absolument rigoureux des chemins.

Les trois moines qui l'assistaient évitaient de le détromper. Eux, qui avaient participé à d'autres épurations, savaient que la sagesse, hormis celle de Dieu, est éphémère tout autant que les insectes du crépuscule que se disputent les hirondelles. Plus silencieux que jamais, les trois hommes attendaient en compagnie de Morelo. Mais là où le prieur espérait la paix, eux espéraient la guerre.

Anne, elle aussi, avait cru s'être inquiétée sans raison. Si, conformément aux conseils d'Istvek et de Morelo, elle ne cherchait pas à rencontrer Daniel Toth ou à lui adresser la parole, elle le voyait passer, chaque matin, sous la poterne. Vêtu du manteau blanc dont il ne se séparait jamais, suivi de son grand chien fauve, l'architecte s'élançait vers l'amont de la rivière.

Et l'on voyait s'élever des fumées au-dessus des arbres de la forêt, qui témoignaient que l'on travaillait ferme à l'achèvement des vaisseaux.

L'état de santé du prince Enrico de Cabiosco semblait s'être stabilisé. Le vieil homme donnait audience chaque jour, et même, certains soirs où une légère brise venue de la mer consentait à rafraîchir l'atmosphère, il sortait accompagné de quelques courtisans et se livrait, aux abords des remparts, à ce qui avait été autrefois son passe-temps favori : la chasse aux oiseaux.

Il les tirait à l'arc.

Depuis le chemin de ronde, Anne voyait parfois l'éclair des flèches montant droit vers le ciel. Cela la réjouissait et la contrariait à la fois.

Elle aimait les oiseaux, elle aimait le prince...

A l'heure du déjeuner, lorsque se vidaient les ruelles, lorsque s'assoupissaient les soldats et les commères, Anne se rendait à cette église où elle avait, une fois, rencontré Daniel Toth. Elle espérait que le hasard, de nouveau, les mettrait face à face.

Enfin, le dixième jour d'août, Anne vit le cheval de l'architecte qui frappait du sabot, devant le parvis ; elle reconnut aussi le chien gigantesque, qui paraissait surveiller les alentours.

L'espace d'un instant, elle faillit rebrousser chemin. N'était-ce pas désobéir, que de franchir le seuil de cette église où, d'une façon indéniable, elle savait que se trouvait le jeune homme ? Mais il y avait trop longtemps qu'elle n'avait entendu le son de sa voix.

Elle se dit, rusant avec elle-même :

« Je vais entrer, mais je ne dirai rien. Je ne ferai rien pour qu'il me remarque. »

Comme la première fois, la nef était déserte. Anne porta son regard vers les travées les plus proches du maître-autel : en effet, Daniel Toth était là, agenouillé, qui priait.

Sachant très bien qu'elle trichait, qu'elle ne

tenait pas les promesses qu'elle s'était faites, Anne se mit à tousser ; et à remuer sur son banc ; puis à ouvrir, et à feuilleter avec bruit son livre d'oraisons.

« Eh bien, pensait-elle, il ne peut pas ne pas m'entendre ! »

De fait, le jeune homme se leva et se retourna. Il posa ses yeux sur Anne. Elle tressaillit :

« Il va venir... Il va me prendre la main... Oh, mon Dieu, faites qu'il me prenne la main ! »

Daniel Toth descendit l'allée. Ses éperons, en heurtant le dallage, produisaient un petit son argentin, qui résonnait longuement.

« ...comme une promesse », se disait la jeune fille.

Mais Toth, parvenu devant le banc où Anne avait pris place ne s'arrêta pas. Et même, il tourna la tête.

Anne sentit sa respiration s'arrêter. De saisissement, elle laissa tomber son livre. Elle se leva, brusquement, tendit la main...

... et lui, fixant la porte, s'éloigna.

La jeune fille mit sa tête dans ses mains. Elle tenta de se rassurer :

« Une illusion... C'est cela, une hallucination. Daniel n'était pas là, c'était un fantôme. Il paraît que quand on pense très fort à quelqu'un, on le voit comme s'il existait réellement! Je deviens folle! »

Elle se précipita vers l'extérieur.

Depuis le parvis, elle vit s'éloigner au galop la silhouette de l'architecte, et celle du grand chien couleur des flammes. Elle entendit distinctement le martellement des sabots sur le rose des pavés.

« Je n'ai pas rêvé... c'était bien lui. »

Et ce fut comme si, soudainement, des ténèbres obscurcissaient le jour.

« Bébé de France... Tu es en retard, ce soir. »

Le prince saisit une chandelle, l'éleva, éclairant le visage d'Anne-sans-coin. Puis, il la reposa, et murmura :

« Sais-tu qu'on ne me cache rien, à moi ? »

Elle s'inclina, sans répondre. Il reprit :

« Tu as pleuré. Nous serions en hiver, je dirais, oui, le froid a rougi ses yeux... Mais l'été flambe, Anne. »

Elle dit, doucement, sans honte :

« J'ai pleuré. »

Il l'attira vers lui. Elle s'assit sur un trépied de bronze, et posa la joue sur les genoux du vieillard.

Le prince lui caressa les cheveux, avec tendresse. Mais sa voix était dure, quand il dit :

« Je te dois tout. Tout ce qu'un homme peut devoir à autrui, la vie retrouvée, le bonheur. Et tu pleures !

— Cela n'a pas d'importance...

— Si, pour moi cela en a. Que tu sois malheureuse me semble, à moi, plus grave que si les armées maures campaient de nouveau sous les murs. »

Il ajouta, d'un ton sec :

« J'interdis qu'on te fasse du mal. »

Elle se redressa, posa ses yeux bleus dans ceux du vieux prince :

« Je vais essayer de sourire.

— Te forcer ? Cela aussi, je l'interdis. Je veux savoir pourquoi... pourquoi ces larmes, bébé de

France ? Oh ! d'habitude, lorsque je te donne ce surnom, tu éclates de rire. »

Elle dit, très vite :

« J'éclate de chagrin, moi, ce soir.

— A cause de quoi ? A cause de qui ?

— Un homme que j'aime, que j'ai croisé, et qui a fait comme si j'étais transparente. »

A cet homme auquel, par sa seule présence, elle avait rendu la joie de vivre, Anne ne pouvait rien dissimuler.

Il questionna, comme on s'adresse à un enfant qui s'est écorché le genou :

« Ça te fait si mal...?

— Plus encore.

— Le nom de cet homme ?

— Oh ! je vous en prie, non !

— Son nom ! tonna le prince.

— Toth. »

Le vieil homme sursauta :

« Comment ? Tu aimes ce garçon ? Mais il vit perdu dans ses plans, ses épures, ses calculs de flottabilité... »

Malgré sa peine, Anne ne put s'empêcher de sourire :

« Oui, je l'aime !

— Et tu ne me l'avais jamais dit !

— Vous ne m'avez jamais demandé si... »

Il balaya l'air de sa main chargée de bagues arrachées aux doigts des sultans vaincus :

« Comment me serais-je douté... tu es une enfant ! Une toute petite enfant !

— J'ai dix-sept ans.

— Combien dis-tu ? Dix-sept ans ? Et tu veux me faire croire qu'à dix-sept ans, tu n'es plus une enfant... ? Que tu n'es plus mon... bébé de France ? »

Elle ne répondit pas. Enrico de Cabiosco s'absorba dans une profonde réflexion. Puis, il avoua :

« Je suis un imbécile. Je vais t'expliquer. Parce que je suis très vieux, je m'imagine que tu viens à peine de naître.

— Etre une enfant, fit remarquer Anne, cela n'empêche pas d'aimer.

— C'est vrai. »

La nuit gagnait, plus obscure, semblable à un velours que l'on tend, un velours lisse, sans le moindre pli.

Anne et le prince, silencieux, regardaient, au-delà des fenêtres, les feux que l'on allumait.

Puis, une cloche sonna, têtue.

« L'heure du souper, dit Enrico de Cabiosco. On appelle les chambellans. »

La jeune fille se leva, exécuta la révérence et se dirigea vers la porte que deux valets venaient d'ouvrir.

« A demain », lui murmura le prince.

Augusto de Cronatia soupira :

« Votre Altesse n'a donc pas d'appétit ? »

Le prince repoussa son assiette d'étain. Depuis longtemps, sa vaisselle d'or et d'argent avait été fondue pour payer les équipements et les soldes des armées. Il expliqua :

« Pour que j'aie de l'appétit, il faudrait que je sois de bonne humeur. Or, je ne me souviens pas d'avoir été aussi contrarié. »

Il ajouta, comme s'il révélait un secret d'Etat :

« Anne-Sans-Coin a pleuré. »

Cronatia soupira de nouveau — mais, cette fois-ci, de soulagement :

« Ah ! bon, j'avais peur... »

Le vieillard le dévisagea avec fureur :

« Mais c'est très grave, imbécile ! »

Le Grand chambellan pâlit sous l'insulte. Pour se faire traiter d'imbécile, se dit-il, il fallait en effet que l'affaire fût grave.

Il ne voyait pas très bien, pourtant, ce que le prince trouvait de si tragique au fait qu'Anne eût pleuré. Augusto de Cronatia considérait que les larmes étaient aussi normales chez les femmes que leurs longues chevelures ou leur peau douce. Mais il convient d'ajouter que, n'ayant jamais caressé de peau douce, n'ayant jamais enfoui son visage dans aucune longue chevelure, il était normal qu'il attachât si peu d'importance aux larmes d'une jeune fille.

Le prince continuait, cependant :

« Le monde croule sous les imbéciles, ce soir. J'en suis un, tu en es un autre, et j'en connais un troisième... »

Il s'arrêta. Puis, cinglant :

« Augusto, je veux voir l'architecte naval sous une heure !

— Mais, risqua le chambellan, Votre Altesse a coutume de se coucher sitôt son repas terminé, et...

— ... et je dis que mon sommeil attendra ! »

En réalité, il fallut à Augusto de Cronatia plus

de trois heures pour joindre Daniel Toth. Celui-ci obéissant aux ordres de Jaime de Morelo, avait décidé que le travail sur le chantier naval se poursuivrait jour et nuit. Il avait imaginé un système de torchères qui permettait d'écarter l'obscurité sans pour autant risquer de provoquer un incendie.

Sitôt que Cronatia l'eut fait prévenir, Toth quitta la forêt en toute hâte : une convocation du prince, à une heure si avancée, ne pouvait que signifier quelque chose de grave.

Exaspéré, luttant contre la fatigue, Enrico de Cabiosco reçut Daniel dans sa chambre. Le dos calé par de nombreux oreillers, marmonnant des mots incompréhensibles, il regarda s'avancer le jeune homme avec des yeux injectés de rage mal contenue :

« Voyez votre beau travail ! lança-t-il. Vous m'obligez à veiller, alors que je suis encore convalescent ! Et ne restez pas ainsi agenouillé, je suis contraint de me pencher pour apercevoir le bout de votre nez ! »

Tout de suite, il vint au fait :

« Eh bien, monsieur l'architecte ? Qu'est-ce qui se passe, avec la jeune fille ? Et ne me dites surtout pas que vous ignorez de quelle jeune fille je veux parler ! »

Daniel tressaillit. Il crut que le prince avait appris la qualité du sentiment qu'il éprouvait envers sa jeune parente, et qu'il le réprouvait. Aussi, balbutia-t-il :

« Euh... rien, Altesse... rien du tout. »

Le prince répliqua, d'un ton soudain très calme :

« Mon cher, je sais que les colères des vieillards ont toujours quelque chose d'un peu grotesque, qui prête à rire. Sachez toutefois que, même comiques, mes colères sont dangereuses. Alors, maintenant, assez menti. Vous aimez Anne-Sans-Coin ? »

Daniel se détourna :

« Non, dit-il dans un souffle.

— Comment ?

— Non, répéta Toth. Je n'aime pas cette jeune fille.

— Méfiez-vous !

— Je vous dis la vérité, Altesse. Je devine à quoi vous faites allusion. Certain jour, une parole malheureuse m'a échappé. Il faisait nuit, nous étions l'un contre l'autre, presque enlacés. »

Il baissa la voix, poursuivit :

« Le désir, Altesse. Rien que le désir. »

Le prince ferma les yeux :

« Vous êtes ignoble, monsieur l'architecte.

— J'en conviens, Altesse », reconnut Daniel au comble de l'humiliation.

Enrico de Cabiosco, soulevant les paupières à demi, fixa le jeune homme. Il sentait qu'un élément important de cette affaire lui échappait. Il dit :

« Voyons, cela ne va pas du tout ! »

Daniel, alors, demanda :

« Sommes-nous seuls, Altesse ? »

Quand l'architecte naval fut sorti, le prince se leva. Péniblement, il poussa un lourd fauteuil près de la fenêtre de sa chambre : au-dehors, la ville

156

était comme morte, livide sous la lumière de la lune. Quelque part, un chien aboyait.

« Cabiosco, murmura le vieillard, comme tu as de la chance de dormir. Le sommeil permet d'oublier bien des choses. Mais moi, cette chance m'est enlevée. Je pense. Je ne peux pas m'arrêter de penser. Sais-tu bien ce que je tourne et retourne ainsi dans ma tête, Cabiosco ? Mon impuissance ! Voilà ! Ce jeune Toth m'a appris ce que je désirais savoir... et je ne puis rien ! Non, je dois laisser pleurer Anne-Sans-Coin. »

Il jeta un dernier regard sur la cité. Puis, fermant les yeux :

« Car il y va de sa vie...

TROISIÈME PARTIE

LA TEMPÊTE

11

L E BLÉ une fois récolté, la solidarité entre les hommes cessa pour laisser place à la jalousie.

On jetait un bref regard vers le grenier ou la grange du voisin :

« Il possède davantage que moi. »

Parfois, c'était vrai ; mais le plus souvent, c'était l'envie qui aveuglait, qui trompait les sens, qui faisait paraître les richesses d'autrui deux fois plus considérables qu'elles ne l'étaient en réalité.

A plusieurs reprises, Enrico de Cabiosco eut à juger des incendiaires qui avaient bouté le feu chez tel ou tel habitant considéré comme plus favorisé.

Mais tout acte de haine, selon la plus atroce des lois naturelles, engendre une haine plus violente encore, qui prend alors le nom de « vengeance ».

L'Inquisiteur sursauta :

« Que dites-vous ? »

Les trois moines se tenaient devant lui, les

mains jointes, la tête légèrement inclinée sur la poitrine :

« La vérité. L'homme attend, à côté, que vous vouliez bien l'entendre.

— Certes, je l'entendrai. Mais auparavant. qui est-il ?

— Un bon chrétien, mon père. C'est déjà beaucoup, sinon essentiel, ne trouvez-vous pas ? »

Jaime de Morelo pensa : « Mon cœur bat vite. Trop vite. Si vite, que ces trois-là doivent l'entendre. Et me mépriser, peut-être. »

Il questionna :

« Et la femme qu'il accuse d'hérésie ?

— Une certaine Donation, mon père. »

L'un des religieux sourit, ajouta :

« Plus ou moins sorcière. Plutôt plus que moins...

— Cela, dit Morelo avec une pointe d'agacement, rien ne vous autorise, pour l'heure, à l'affirmer. »

Le moine insista :

« Les soldats qui gardent le cimetière de l'église San Felipe la connaissent bien, mon père. La vieille femme se rend chaque jour au cimetière. Or, aucun membre de sa famille n'y est enseveli. Etrange, ne trouvez-vous pas...? »

L'Inquisiteur songea qu'il est ainsi des personnes charitables, qui visitent les morts dont nul ne se soucie ; qui arrachent les mauvaises herbes des sépultures à l'abandon. Mais il garda cette pensée pour lui : depuis longtemps, il s'était donné pour règle de ne jamais discuter avec des fanatiques. Et les trois religieux qui lui faisaient face, désignés pour l'assister dans sa mission de purification, étaient l'exemple même du fanatisme.

« Faites entrer le... »

Il hésita : le mot « dénonciateur » lui écorchait la bouche.

Il reprit :

« Le témoin ! »

L'homme, un individu grand et maigre, qui sans doute ne devait pas manger tous les jours à sa faim, parla. Il s'exprimait d'un ton monocorde, et l'Inquisiteur avait la sensation que les phrases du témoin formaient des serpents souples qui allaient s'enrouler autour de sa gorge et l'étouffer.

Racontant davantage les épisodes de sa propre existence que ceux de la vie de la femme qu'il venait accuser, le témoin semblait, à certains moments, réciter une leçon bien apprise.

Enfin, il s'arrêta, à bout de souffle.

« A bout de haine », murmura Morelo sans que personne pût l'entendre.

L'Inquisiteur remercia le « témoin », qui sortit en exécutant révérence sur révérence.

Maintenant, les trois religieux attendaient que leur maître prît une décision.

Malheureusement, il n'y en avait qu'une possible : Morelo n'avait pas le choix.

Il dit, et sa voix était plus rauque qu'à l'ordinaire :

« Que l'on fasse comparaître la femme Donation... Pour complément d'information ! »

Il se détourna. Il lui semblait brusquement que les murs vacillaient.

Quelques heures plus tard, la vieille femme

était arrachée à sa maison et conduite au palais sous bonne escorte.

Une vingtaine d'hommes en armes, accompagnés par les trois moines, étaient venus l'arrêter. Donation ne résista pas ; elle ouvrit sa porte, cligna des yeux à cause du soleil, s'appuya contre le chambranle. Et dit :

« Je vous attendais. »

L'un des religieux lui mit la main sur l'épaule. Il lança, d'une voix que l'excitation faisait vibrer :

« Tu avoues donc ! »

Mais Donation se contenta de sourire, avec une sorte de lassitude douce, bouleversante :

« Je dis seulement que je vous attendais. »

Et tandis qu'on l'emmenait, une longue et basse rumeur parut naître des murs eux-mêmes : le peuple commentait l'évènement, par des soupirs auxquels se mêlaient les aboiement plaintifs des chiens. A croire que ces derniers comprenaient qu'un drame se jouait, dont ceci était le premier acte, et qu'ils voulaient assurer les humains de leur éternelle fidélité.

Les habitants, peu à peu, quittèrent les rues, les places éclaboussées de lumière, les arcades. Ils rentrèrent chez eux, se jetant les uns aux autres des regards de crainte et de suspicion :

« A qui le tour ? »

Istvek, lui aussi, se demandait quelle serait la prochaine victime. Il recevait fréquemment des nouvelles des autres communautés juives dispersées sur cette terre d'Espagne, que tous avaient crue terre d'asile. Terre où l'on s'arrête pour reprendre du courage et des forces avant de poursuivre l'épuisante route qui, peut-être, ne mènera finalement nulle part. Le juif savait que lorsque le mouvement était lancé, rien ne pouvait plus l'arrêter : ainsi en avait-il été à Llerena, en Extremadura. A Llerena et partout ailleurs.

Cette folie ressemblait à la peste, en ce sens qu'il suffisait qu'un seul soit touché pour que, presque aussitôt, la cité toute entière fût atteinte.

Dès que l'arrestation de Donation fut connue, Myriam se jeta contre Istvek, se blottit dans ses bras. Elle murmura, comme un enfant malade :

« Tu vas trouver quelque chose, n'est-ce pas ? Tu es notre chef, tu vas bien avoir une idée... une bonne idée ? »

Istvek, depuis longtemps, s'était préparé à faire face. Il demanda à Myriam de se calmer puis de prévenir les autres membres de la communauté :

« Qu'ils viennent. Tous. Je leur parlerai.

— Tous ? dit-elle. Daniel Toth aussi ? »

Istvek réfléchit :

« Toth ? Non... pas lui... Il importe de le tenir à l'écart. De faire comme si nous ne le reconnaissions plus pour l'un des nôtres.

— Et s'il venait de son plein gré ? »

Le vieillard baissa la tête :

« Alors, Myriam, je lui fermerais la porte au nez. Cela serait une... une déchirure atroce, mais... c'est une question de vie ou de mort. »

Il se détourna : il n'avait jamais aimé les grands mots.

Ce soir-là, prétextant qu'il était fatigué, le

prince fit dire à Anne-Sans-Coin qu'il ne pourrait la recevoir.

La jeune fille erra un long moment sur le chemin de ronde, observant la ville en contrebas : Cabiosco paraissait saisie d'une étrange torpeur. Les ruelles demeuraient silencieuses. Dans le port, les barques rentrant de la pêche s'amarraient au quai de bois et les marins se hâtaient de quitter cet endroit où pourtant, d'habitude, ils aimaient à se rassembler pour boire une coupe de vin avant d'aller se reposer.

Jusqu'aux sentinelles des remparts, qui semblaient nerveuses, qui sursautaient lorsque, d'aventure, un rat faisait glisser un caillou.

Doña Jovinez avait tenu à accompagner la jeune fille.

Elle lui désigna la masse tourmentée de la cité :

« Vous voyez, dit-elle, comme tout se cache, se tait...?

— Je ne comprends pas, fit Anne. Que craignent ces gens ? »

La gouvernante baissa la voix :

« De subir le même sort que la femme Donation ! N'importe qui peut dénoncer n'importe qui... Vous-même, mademoiselle, vous pourriez me signaler aux Inquisiteurs !

— Vous dites des inepties ! »

Anne s'accouda à l'échancrure entre deux créneaux, regarda les mouettes qui se rassemblaient à l'aplomb des toits.

Elle demanda :

« Cette Donation... que va-t-on lui faire ? »

Doña Jovinez posa un doigt sur ses lèvres :

« Mieux vaut pour nous n'en pas parler, mademoiselle.

— Mais, où est-elle ? Dans une prison ?

— Une profonde prison, mademoiselle. »

Anne s'étonna :

« Profonde ?

— Pour étouffer les cris », dit doña Jovinez dans un souffle.

Anne refusa de souper, se contentant de grignoter quelques fruits. Elle se sentait mal à l'aise, et impuissante à se débarrasser de cette oppression qui pesait sur elle. Or, les deux choses que la jeune fille haïssait le plus étaient le mensonge et l'incapacité d'agir.

La nuit était tombée depuis déjà longtemps, qu'elle tournait encore dans sa chambre, s'asseyant ici, puis là, allant et venant, d'un pas nerveux.

Inconsciemment, elle attendait que quelque chose arrivât.

Soudain, la porte de sa chambre s'ouvrit avec violence. Daniel Toth apparut, repoussant doña Jovinez qui tentait de lui barrer le passage :

« Laissez-moi ! » s'écria-t-il à l'adresse de la duègne.

Anne intervint aussitôt :

« Voyons, doña Jovinez, monsieur l'architecte a le droit d'entrer ici. Je ne suis pas une reine, pour fermer ma porte. »

Daniel la remercia d'un sourire. Elle continuait :

« Et puis, doña Jovinez, s'il vous plaît, vous pouvez vous retirer ! »

Quand la gouvernante fut sortie, Anne passa

une main devant ses yeux. Elle éprouvait un subit et immense soulagement.

« Pardonnez-moi, dit Daniel, de faire ainsi intrusion...

Elle l'interrompit, doucement :

« Oh ! Comme vous avez été long à venir ! Comme j'ai eu peur !

— Encore pardon, petite fille. »

Elle s'approcha, lui frôla le visage de sa main ouverte — le visage, et les épaules, et la poitrine, glissant alors ses doigts sous le revers du manteau blanc :

« Pourquoi, Daniel, pourquoi ? votre silence... que j'ai pris pour de l'indifférence. Peut-être même pour du mépris ! »

Il dit, tout bas :

« Ma chérie... ma toute petite enfant... Plus encore que vous, j'ai eu mal, l'autre jour dans cette église de San Felipe... J'ai lutté pour ne pas vous prendre dans mes bras. »

Elle secoua la tête :

« Mais pourquoi ?

— Il le fallait. Et cette nuit, je fais une folie en venant ici. Anne, j'ignore si le temps travaille pour nous ou contre nous. Maintenant, serrez-vous contre moi, fermez les yeux, et écoutez-moi. »

Elle obéit. Il reprit :

« Une femme a été arrêtée aux environs de midi, par les inquisiteurs. Deux heures plus tard, elle était soumise à la question.

— Donation, fit Anne, je la connais. Et elle *nous* connaît.

— Elle est âgée, poursuivit Daniel Toth. Sous

la torture, il est vraisemblable qu'elle aura parlé.
A contrecœur, mais...

— Est-elle dangereuse, si elle parle ?

— Oui, dit le jeune homme avec calme. Dangereuse à l'extrême. Par exemple, pour abréger ses souffrances, elle aura révélé que je me rendais chaque vendredi soir à la célébration du sabbat juif. »

Il ajouta, songeur :

« Cela, Jaime de Morelo le savait. Il faisait en sorte de ne pas se le rappeler. Mais les autres, ses assesseurs... Ils ont dû pousser des cris de victoire. Et à l'heure qu'il est, sans doute me recherche-t-on pour m'appréhender. »

Anne frémit. Elle tenta de se rassurer :

« Ce sont des idées que vous vous faites ! »

— Des idées, dit-il, qui ont toutes les chances de devenir réalités. »

Tout bas :

« Je suis venu te dire adieu. »

C'était la deuxième fois qu'il la tutoyait. D'abord, il lui avait murmuré « je t'aime ». Et maintenant... Anne s'accrocha à lui, comme si elle se sentait emportée par des vagues noires, visqueuses, insondables :

« Non, non, je ne veux pas ! »

Il eut un léger sourire :

« Ma minuscule ! »

— Je ne suis pas « votre minuscule ». Je suis forte, j'ai du courage, je me défendrai. Et je vous défendrai. Le prince m'écoutera. Même si je dois entrer de force dans la chambre où il repose, je...

— Sage, Anne, sois sage ! Je ne parle pas sans savoir. Istvek essaie, par tous les moyens, de me sauver. Et, heure par heure, il me fait tenir des messages. L'époque est difficile, vois-tu. Un temps de transition entre un passé obscur, et un avenir plus clair. Les hommes d'aujourd'hui sont désorientés, on ne peut leur en vouloir. On peut seulement regretter d'être né au cœur de la plus trouble période de l'histoire du monde. Et d'être emporté par un vent incontrôlable, comme un brin de paille.

— Voici, que vous philosophez au lieu de me dire des choses douces. »

Il s'écarta d'elle, fit quelques pas. Puis, se retournant :

« Je suis un homme, Anne, qui a vu mourir et souffrir d'autres hommes. Et qui, peut-être, à son tour, va souffrir et mourir. J'avais préparé, il est vrai, beaucoup de mots tendres pour te les murmurer. Mais quand il grêle, les fleurs se cachent. Je t'aime. Je voulais... oh ! je ne sais plus tout ce que je voulais, mais c'était beau, et vrai. »

A présent, elle pleurait. Des larmes silencieuses. Elle demanda :

« Ce n'est pas à moi de poser cette question, mais... m'auriez-vous épousée ?

— Oui », répondit-il sans hésiter.

Alors, elle parut se redresser :

« Bon. Vous m'épouserez.

— C'est impossible, ma chérie. En sortant de cette chambre, je vais essayer de me perdre dans la nuit, je vais disparaître.

— Non, je refuse !

— Quel moyen as-tu de dire « non » ?

— Le prince. Restez ici, attendez-moi. »

Et déjà, elle se dirigeait vers la porte. Mais Daniel la retint :

« Je te le défends. Sais-tu qui se trouve avec Enrico de Cabiosco à cette heure précise ? »

Elle fit signe qu'elle l'ignorait. Il reprit :

« L'Inquisiteur. Don Jaime de Morelo. Il m'aime, lui aussi, mais il a les mains liées. Il est forcé d'aller jusqu'au bout, Anne. Même si cela lui fait horreur. »

Il ajouta, dans un murmure :

« Cette nuit est une nuit déchirée et déchirante.»

Elle restait là, immobile, très pâle, les bras étendus le long du corps :

« Je t'aime, Daniel Toth.

— Je l'avais deviné. Mais je suis si heureux, que tu aies trouvé le courage de le dire.

— C'est pour me taire, qu'il me faudrait du courage. »

Il se pencha, approcha son visage de celui de la jeune fille :

« A-t-on déjà embrassé Anne-sans-coin ? »

Elle ne répondit pas, mais jeta ses bras autour du cou de Daniel et, fermant les yeux, elle attendit.

D'abord, le jeune homme referma ses doigts écartés sur la taille d'Anne, et serra. La jeune fille se plia légèrement en arrière, et leva son visage vers celui de Daniel.

Elle demanda, presque inquiète, dans un souffle :

« Pourquoi ne m'embrasses-tu pas ? Tu ne veux plus... ?

— Doucement », dit-il.

Il posa ses lèvres sur les tempes de la jeune fille :

« Anne, c'est comme la découverte d'un nouveau monde. On s'avance sur le rivage inconnu, lentement. On n'a pas assez de ses deux yeux pour tout voir. »

Sa bouche caressa la joue, descendit jusqu'au lobe de l'oreille. Anne vibrait, comme si une fièvre l'eût saisie.

« Tu sens tellement bon, murmura Daniel. Quel est donc ce parfum ? Mais je me trompe, ce n'est pas un de ces parfums que l'on vend dans de petits flacons. C'est l'odeur même de ta peau, que je respire, n'est-ce pas ? »

Maintenant les mains de Daniel abandonnaient la taille de la jeune fille et montaient le long du dos, comme deux palpitations, vivantes et chaudes.

Anne frissonna.

Daniel posa les doigts sur la nuque de la jeune fille.

Elle le devina qui se penchait sur elle. Elle avança vers lui ses lèvres entrouvertes. Pour la première fois de sa vie, elle croyait comprendre ce mouvement secret et profond, cet irrésistible élan qui fait se tendre certaines fleurs vers la lumière du soleil.

Daniel l'enlaçait avec tant de force qu'Anne ne savait plus où finissait son corps, et où commençait le corps du jeune homme.

Alors, il l'embrassa.

Anne frémit, son cœur battit à se rompre ; elle n'avait jamais pensé qu'un baiser pût être cela : cette sensation d'appartenance, cet immense abandon à la joie et à la confiance.

Quand Daniel se sépara d'elle, elle releva les paupières. Elle dévisagea le jeune homme comme si elle le voyait pour la première fois. Elle dit, tout bas :

174

« Mon amour.

— Ne parle pas. Seul, le silence... »

Elle sourit :

« Si tu veux que je me taise, il faut que tu te hâtes de m'embrasser de nouveau... »

Il se pencha vers elle. Elle ajouta :

« Je savais que tu étais grand. Mais pas au point d'être certaine de pouvoir me perdre en toi, comme dans un refuge. Maintenant, j'en suis sûre. Tu es ma cachette, tu es mon château. »

Il l'embrassa, une fois encore. Avec, étrangement mêlées, une telle violence et une telle tendresse que la jeune fille laissa retomber ses bras le long de son corps : elle eut voulu être, dans les bras de Daniel, aussi impuissante, aussi malléable, aussi offerte qu'un pétale dans le vent. Mais ce fut elle, tout de même, qui empêcha le jeune homme de s'écarter, qui prolongea le baiser jusqu'à en perdre le souffle.

*

*   *

« Don Morelo, j'ai mal.

— Moi, aussi, Altesse, j'ai mal. »

Le prince se dressa sur un coude :

« Eh bien, allons-nous demeurer stupidement ainsi, à souffrir le même mal et à ne rien faire pour le supprimer ? »

L'Inquisiteur baissa la tête :

« Justement. Nous ne pouvons rien.

— Qui commande, ici ? s'exclama Enrico de Cabiosco.

— Vous servez Leurs Majestés Très Catholiques, Altesse. Quant à moi, je sers Dieu. Nous n'avons pas les mêmes maîtres, ce qui explique que nos pouvoirs soient séparés.

— Allons, reprocha le prince, ce n'est pas Dieu que vous servez, don Morelo ! C'est l'Inquisition, et l'Inquisition n'est pas Dieu !

— Altesse, je ne sais plus... Toutefois, dans le doute, je n'ai pas le droit d'hésiter. »

Le prince tendit la main vers la fenêtre ouverte.

« Au-delà de ces murailles, il y a la mer. Au-delà de la mer, il y a l'inconnu. Des territoires vierges, don Morelo, où vous rêviez de planter la croix du Christ.

— C'est exact.

— Si vous arrêtez l'architecte Toth, vous tuez votre rêve. »

L'Inquisiteur secoua la tête, accablé :

« Même pas ! Sur mon ordre, Daniel Toth a fait accélérer les travaux. Les vaisseaux sont pratiquement prêts à appareiller, Altesse.

— Sur votre ordre... ? Vous aviez donc prévu ?

— Je ne sais plus ce que j'ai prévu et ce que j'ai oublié de prévoir ! Pourquoi me tourmentez-vous ? Ne voyez-vous pas que j'ai bien assez de mon âme, qui me pose des questions auxquelles je ne sais répondre ? »

Enrico de Cabiosco ferma les paupières. Lui aussi se sentait tourmenté. Il dit :

« Vous êtes venu me trouver. Pourquoi ?

— Seulement pous vous prévenir que le

tribunal de la Sainte Inquisition avait décidé de faire comparaître devant lui le juif Toth.

— Don Morelo... voulez-vous m'aider à me lever ? Une fois debout, je parviens à marcher. Mais le plus difficile est d'imprimer un mouvement à ces vieilles jambes... »

L'Inquisiteur passa son bras sous les épaules du prince. A pas lents, Enrico de Cabiosco marcha jusqu'à la fenêtre. Il expliqua :

« Voir. Voir la ville. *Ma* ville. J'aime ces murs, ces gens, les misères, les lézards, les chiens galeux. Vous comprenez ? J'aime tout cela comme un père aime ses enfants. Et s'ils ont mal, je ressens une sorte de panique m'envahir.

— Vous devriez vous reposer, Altesse... vous ne pouvez rien pour eux.

— Si fait, dit le prince avec sévérité. Je puis au moins veiller. »

Il tourna vers le moine un visage aux traits tirés :

« Que votre volonté soit faite, don Jaime de Morelo ! »

L'Inquisiteur s'inclina :

« Non point ma volonté, Altesse, mais... »

Il se tut. Et sortit.

Les yeux mi-clos, Anne et Daniel se reposaient. Ils laissaient glisser la nuit au-dessus d'eux.

De temps à autre, une petite larme se frayait un chemin sous les paupières de la jeune fille. Anne ne disait rien, car il n'y avait rien qu'elle pût dire de plus que ce « Je t'aime, Daniel Toth ».

Et lui se rassasiait de sa présence : Il y puisait une volonté dont il pressentait qu'elle lui serait bientôt plus vitale que l'air qu'il respirait.

La peur affreuse, la peur logique de la douleur, qui s'était infiltrée en lui commençait à s'effacer, se faisait plus sourde. Elle devenait une peur domestique, qu'il parvenait à apprivoiser.

La lumière de la lune allait, avec lenteur, d'un mur vers l'autre mur.

Toth se croyait en sûreté, ici, dans la chambre d'Anne-sans-coin. Dans les bras d'Anne-sans-coin.

Il se trompait.

Brusquement, la porte s'ouvrit. A la lueur des flambeaux, Daniel aperçut la silhouette encapuchonnée d'un moine. Derrière lui, l'épée à la main, se tenaient des soldats.

« Toth, suivez-nous ! »

Il se leva, sans hâte. Essaya de sourire :

« Très bien. Mais je vous en conjure, ne touchez pas à elle.

— Qui es-tu, se moqua le moine, pour donner des ordres ?

— Je ne suis rien, dit-il. Mais prenez garde, mon frère ! Coupable ou innocent, libre ou prisonnier, je suis toujours capable de colère. Et la colère de Daniel Toth n'est pas de celles qui s'endiguent facilement.

— Des menaces ?

— Un avertissement », fit Daniel avec calme.

Il se retourna vers Anne :

« Au revoir, mon amour. Ne craignez rien. Je ne vous demande pas d'être courageuse, mais seulement d'avoir confiance en moi. »

178

Au moment de franchir le seuil de la pièce, il ajouta :

« Quoi qu'il arrive. »

Anne avait assisté à l'arrestation sans oser faire le moindre geste. Mais, la porte refermée, elle ne put s'empêcher de pousser un cri long et rauque. Alors, imaginant le pire, doña Jovinez se précipita à son chevet :

« Mademoiselle, mademoiselle... ne pleurez pas ! »

Anne la regarda, glaciale :

« Je ne pleure pas, doña Jovinez. Je ne pleurerai plus jamais. J'ai autre chose à faire que de pleurer.

— Demain, nous verrons !

— Pas demain. Pas dans une heure. Pas dans une minute. Tout de suite, doña Jovinez. »

Elle se leva, courut vers l'armoire de l'antichambre :

« Ce manteau bleu tissé de fils d'or que le prince m'a donné... où est-il ? Je le veux immédiatement.

— Mais, mademoiselle, c'est un vêtement d'apparât, qui ne doit se porter qu'à l'occasion d'une grande cérémonie. »

Anne frappa du pied :

« Je l'exige ! »

Devant la chambre du prince, deux gardes veillaient. Ils regardèrent s'avancer vers eux cette silhouette bleue et or, sur laquelle les torches du corridor jetaient leurs reflets.

Anne s'arrêta, les fixa :

« Ouvrez ! »

— C'est impossible : son Altesse dort, et...

— Ouvrez, dit-elle d'un ton tranquille, sinon j'essaie de passer de force. Et vous serez obligés de me tuer. Vous entendez ? De me tuer. »

Les sentinelles échangèrent un regard. Sans doute ces hommes n'avaient-ils pas coutume d'être ainsi défiés. Impressionnés par la détermination de la jeune fille, ils s'écartèrent. Anne ouvrit elle-même les deux battants.

La chambre du prince était plongée dans la pénombre. Le vieil homme n'avait pas quitté son poste d'observation, devant la fenêtre. De temps à autre, la brise relevait ses cheveux fins comme ceux des très jeunes enfants. Cela formait au-dessus de sa tête comme une couronne — ou comme une auréole.

Il dit :

« C'est vous, n'est-ce pas, bébé de France ?

— C'est moi.

— Etes-vous en larmes ?

— En état de désespoir, prince. C'est... pire ! »

Il se retourna vers elle :

— Oui, vous avez raison. C'est pire, infiniment. Je sais pourquoi vous venez me trouver, Anne.

— J'attends. Une promesse, par exemple. »

Il lui fit signe de s'approcher davantage :

« Venez, venez tout près de moi... »

Elle s'agenouilla devant le fauteuil à haut dossier, clouté d'or, où se tenait Enrico de Cabiosco. Elle leva vers lui un visage lisse, mais tendu. Il lui caressa la joue :

« Mon enfant, vous me faites un peu peur...

180

Quand la haine se dresse contre moi, je réponds par la violence. Mais on dirait que vous voulez m'opposer votre pureté. Je n'ai pas d'armes contre la pureté, Anne.

— Prince, je viens vous demander aide et assistance. Je viens vous demander justice et raison. »

Plus bas, elle ajouta :

« Je viens vous demander de me prouver votre reconnaissance.

— Oui, dit-il, je le savais. Et, bien entendu, ce n'est pas de l'or, que tu réclames, ni des honneurs ? Rien de tout cela !

— J'aime Daniel Toth, et il m'aime. Je vous demande sa liberté. Nous partirons, loin d'ici. Nous nous effacerons, au point que, pour l'Inquisition, ce sera comme si nous n'avions jamais existé... Jamais dérangé personne... Est-ce que je n'ai pas mérité un petit peu de bonheur, dites-moi, Prince ? »

Enrico de Cabiosco s'agita :

« Ce que nous méritons, et ce que l'on nous donne... Cela fait deux !

— Je crois en vous.

— C'est bien ce qui m'effraie... »

Elle insista, têtue :

« Vous êtes le prince. Le maître.

— Les âmes m'échappent ! Le gouvernement des âmes m'échappe, complètement !

— Un mot de vous. »

Il lui serra le bras, à lui faire mal :

« Tu m'humilies, bébé de France, sans le savoir ! Un mot de moi ? Quand un renard est pris au piège, il a beau être un renard, ses cris sont inutiles. Les mâchoires du piège sont plus fortes ! »

Elle le dévisageait, interdite. Elle ne comprenait pas, ou, plutôt, elle n'osait pas comprendre.

Il continua, monocorde, déjà vaincu et admettant sa défaite :

« Autrefois, quand j'étais un jeune prince, j'avais pour moi l'admiration de l'armée. En ce temps-là, certes, un mot suffisait pour balayer... tout ce qu'il convenait de balayer. Je suis devenu si vieux, Anne ! Je reste là, dans ce palais, un peu comme un symbole. Le roi Ferdinand et la reine Isabelle ont déjà désigné mon successeur. On attend que je meure. Oh ! je ne suis pas révolté. Cela est normal, cela fait partie de la Loi.

— Quelle loi ?

— La Loi du plus fort. Je suis un tableau, Anne, craquelé et poussiéreux, que l'on n'ose pas décrocher avant qu'il tombe en poussière. De lui-même.

— On vous rend les honneurs !

— Aux morts aussi, dit-il, on rend les honneurs. Parce que, justement, ils ne peuvent plus inquiéter personne. »

Un instant, le vieillard et la jeune fille demeurèrent silencieux. Chacun souffrant de la souffrance de l'autre.

Puis, Enrico de Cabiosco ordonna :

« J'ai fait préparer pour toi un cheval, j'ai désigné pour te reconduire en France les meilleurs de mes hommes. Va-t'en, bébé... Avant qu'il soit trop tard ! »

12

A L'AUBE, quatorze personnes, dont Daniel Toth, étaient aux mains de l'Inquisition.

Dans son bureau, Jaime de Morelo tentait, par tous les moyens dont il disposait — ils étaient peu nombreux, et fragiles ! — d'empêcher l'arrestation d'une quinzième victime.

Vers la minuit, les trois moines avaient lâché un nom :

« La fille venue de France, Anne-Sans-Coin. »

Morelo avait bondi, le cœur battant :

« Ah ! non. Vous allez trop loin, cette fois-ci ! Anne est innocente ! Vous pouvez chercher la nuit entière, vous ne découvrirez pas l'ombre d'une tache. »

Mais l'un des assesseurs s'était avancé : déployant un parchemin, il avait dit, sûr de lui :

« Une sorcière, oui ! Tout est là, mon père, noir sur blanc.

— Expliquez-vous.

— C'est extrêmement simple : le prince était malade. Et les médecins affirmaient qu'il était atteint de l'une de ces maladies dont on ne se relève pas. Or, voici qu'une femme nous arrive. Qui est-elle ? Une paysanne, sans culture, sans éducation. C'est à peine si elle sait son *Magnificat* ! Durant des semaines, dès que la nuit commence à tomber, notre prince la reçoit sans témoins. Au bout d'un temps assez bref, Enrico de Cabiosco est capable de se lever, de marcher, de s'alimenter. Je pose la question, mon père : comment s'y est prise Anne-Sans-Coin — puisque tel est le nom ridicule dont elle est affublée ! —, pour ressusciter un moribond ?

— Mais, je n'en sais rien, mon frère !

— Voilà très précisement ce que je souhaitais vous entendre dire. Vous n'en savez rien ! Miracle, donc ! »

Il se pencha vers l'Inquisiteur, ajouta :

« Miracle ou... sortilèges ! »

— Folie ! s'exclama Morelo. J'ai vécu près de cette jeune fille. Je puis vous assurer de sa pureté !

— Les démons, dit l'assesseur, se cachent de préférence sous le masque des anges.

— Mais elle n'est pas un ange non plus. C'est une petite fille têtue, volontaire, maladroite... Et tendre, et douce, et sincère.

— Une preuve, mon père ! Une simple petite preuve de rien du tout suffira à nous convaincre !

— Une preuve ? Quelle preuve ? »

Un silence passa. Puis, comme si cela n'avait aucune importance, l'un des trois religieux proposa :

« Essayons la torture. »

D'abord, Jaime de Morelo parut n'avoir pas

entendu. Ensuite, il se leva. Il frotta ses mains l'une contre l'autre, comme s'il les lavait dans quelqu'eau impalpable et invisible.

Il demanda, très doucement :

« Torturer Anne ? C'est à cela que vous songez ? »

Les moines ne répondirent pas : c'était inutile...

Jusqu'au matin, en un combat qu'il savait désespéré, Jaime de Morelo essaya de sauver la jeune fille. Mais, tranquilles et impitoyables, les trois moines réfutaient ses arguments, les uns après les autres.

« Je n'ai pas le droit d'éprouver des affections terrestres, se disait l'Inquisiteur. Je n'ai pas le droit d'être faible. Après tout, je ne sais pas... Je déteste ces hommes, parce qu'ils ne connaissent aucune pitié. Mais ils sont, comme moi, des représentants de Dieu sur terre. Peut-être est-ce moi qui me trompe et eux qui ont raison. Après tout... Comment a guéri le prince ? »

Ce mot, sans cesse, revenait, lancinant : *Après tout...*

Depuis vingt-quatre heures, Jaime n'avait pas dormi. Il touchait à l'extrême bout de ses forces. Il vacillait sur sa chaise, accomplissait des efforts presque surhumains pour garder les yeux ouverts. Une lassitude intense s'était emparée de tout son corps. Une voix disait, petite voix entêtée :

« Dis « oui », Jaime, et tu pourras dormir... dormir... enfin dormir ! Imagine la tiédeur du lit... Dormir ! »

Il ne résistait plus que par automatisme.

L'un des moines murmura, à son oreille :

« Mon père, la torture n'est pas la mort ! »

Alors, une pensée vint à l'esprit de Morelo. Il voulut l'écarter, la sachant trompeuse, parfaitement hypocrite :

« Si elle est innocente, elle ne souffrira pas. Dieu l'assistera. Dieu parlera pour elle. Et les moines seront confondus. Et le cauchemar, peut-être cessera. »

Il se leva, tremblant de tous ses membres :

« Mes frères, j'ordonne... »

Il ne put aller plus loin. L'un des assesseurs lui tendit un document rédigé par avance :

« Vous êtes épuisé, mon père. Signez simplement là... et nous nous occuperons de tout. »

L'Inquisiteur sentit une sueur glacée descendre le long de son échine. Il mit une main devant sa bouche, pour réprimer un violent haut-le-cœur. Il dit, haletant :

« C'est cela, occupez-vous de tout... quant à moi... dormir... Oh ! dormir... »

Il s'abattit. En chutant, son front heurta l'accoudoir de son siège.

Il trouva la force de murmurer encore :

« Seigneur tout-puissant, aide-nous ! »

Les soldats dévêtirent la jeune fille. Puis, ils lui présentèrent une tunique grossière. Elle l'enfila, sans mot dire.

« Veuillez vous tourner », fit alors le capitaine.

Anne obéit. On lui saisit les poignets, et on les lui attacha.

A ce moment-là, seulement, elle comprit qu'elle était perdue.

Elle n'en ressentit aucune frayeur : rien qu'un dégoût monstrueux. Dégoût de ce soleil éclatant, de ce ciel pur infiniment, dégoût de cette vie qui bruissait, comme un essaim d'abeilles, partout alentour.

Il y a une certaine satisfaction, une espèce de réconfort dans tout renoncement. Anne renonçait.

Les cordes irritaient la peau fragile de ses mains. Elle pensa, presque avec ironie :

« Moi qui étais fière d'avoir ce que l'on appelle des « attaches fines » ! Dans une heure, je saignerai. »

Elle demanda où on l'emmenait. Les soldats qui s'étaient emparés d'elle ne répondirent pas.

Lentement, elle traînait le pas, à cause de ses bras entravés, craignant de chuter sans pouvoir se retenir. Le cortège traversa la cour octogonale. Il flottait là une odeur de crottin de cheval, de paille humide, de cuir chaud. Anne respira à fond, avec la certitude que c'était pour la dernière fois. Quelque part, un cheval hennit douloureusement. Et elle sourit :

« Au revoir, cheval. »

Plus ému qu'il ne voulait le laisser paraître, le capitaine donna une bourrade à la jeune fille :

« Allons, avance ! Pour nous, la journée commence ! »

Anne lui répondit :

« Pour moi aussi, monsieur le capitaine. Et sans doute sera-t-elle plus terrible pour moi que pour vous. »

On entraîna le jeune fille à travers les couloirs

sans fenêtres. Elle devina qu'elle se trouvait dans les souterrains du château. Elle songea que, quelques heures avant elle, Daniel Toth avait vraisemblablement emprunté le même chemin...

Peu à peu, les escaliers devinrent plus raides : ils s'enfonçaient sous la terre.

Les murs étaient blancs d'humidité. Et, dans le lointain, on entendait distinctement le petit bruit cristallin de gouttelettes d'eau qui s'écoulaient avec une régularité de clepsydre.

Anne ne pensait pas à la torture. En réalité, elle ne savait pas trop bien ce que signifiait ce mot. Simplement, elle comprenait qu'on allait la priver de lumière, de chaleur.

A dix- sept ans, une jeune fille est déjà une femme en ce qui regarde les choses de la vie ; mais elle n'est qu'une enfant sans expérience en face de ce qui touche à la douleur et à la mort.

Anne se retrouva dans une obscurité quasi absolue. Une lumière pauvre parvenait à se frayer un chemin — mais la jeune fille ne savait d'où lui venait cette infime clarté.

D'abord, elle ne vit rien.

Puis, ses yeux s'habituèrent à la pénombre. Elle distingua des pierres : des pierres au-dessus d'elle, au-dessous d'elle, autour d'elle. Un monde de pierres carrées, massives, moussues.

A l'instant de la jeter dans la nuit de la cellule, les soldats avaient délié ses mains. Mais ils avaient lancé la corde dans un coin du cachot, disant :

« On la laisse là... on s'en resservira. »

Anne n'avait pas répliqué. Elle se sentait comme déjà retranchée de l'univers logique, où les objets, les choses vivantes, les êtres ont une signification normale. Aucune révolte, en elle. Jusqu'au dégoût de tout à l'heure qui s'estompait, laissant place à une vague résignation.

Elle s'assit à même le sol.

Puis elle se demanda :

« Où suis-je ? »

Pas un instant, elle ne s'inquiéta de savoir ce qu'on allait faire d'elle.

Dès qu'il eut franchi le seuil de la chambre du prince, Jaime de Morelo recula d'un pas : le visage d'Enrico de Cabiosco était effrayant à voir. L'Inquisiteur s'attendait à une vive protestation de sa part ; mais il n'avait pas prévu ces yeux fixes, cette bouche pincée, ce teint blême.

Ni, surtout, ces doigts qui semblaient s'être recourbés pour devenir des serres d'oiseau de proie.

Il n'osa parler.

Alors, le prince dit, d'une voix morne qui ne fit qu'augmenter le malaise de l'Inquisiteur :

« Il est évident, don Morelo, que vous me répondrez de ce qui vient d'arriver. Il est tout aussi évident et certain que Dieu va vous foudroyer, vous et vos complices...

— Altesse...

— Ne vous fatiguez pas, don Morelo. Vous êtes allé trop loin. Déjà, quelque part dans l'infini, un cataclysme se prépare. Il vous engloutira.

— J'y ai pensé », murmura le moine.

Le prince ironisa :

« Vraiment ? Je vous félicite. Homme remarquable !

— Ne vous moquez pas de moi, Altesse ! implora l'Inquisiteur.

— Je ne me moque pas de vous. On ne se moque pas de ce que l'on hait, don Morelo.

— Vous me...?

— Avec la puissance de toutes les forces qui me restent. Oui, je vous hais autant que j'aime la jeune fille de France.

— Je ne pouvais pas faire autrement....

— C'est fort possible. Et cela m'est égal. Moi, monsieur l'Inquisiteur, je ne m'attache qu'aux résultats. »

Don Morelo s'inclina :

« J'implore votre indulgence.

— Et je vous la refuse. Tant qu'il subsistera en moi ce vague souffle qu'est la vie, je vous maudirai. »

Il se pencha en avant, reprit, avec cette tranquille assurance du serpent qui fascine un oiseau :

« Vous croyez que je suis fini, n'est-ce pas ? Vous faites erreur — l'erreur de votre vie ! Vous pouvez supplicier ma petite fille, la mettre à mort. Cela, je ne peux l'empêcher. Mais, il y a toujours un « demain », don Morelo. Un « demain » blanc d'une insoutenable blancheur.

— La justice, Altesse »... risqua le prieur.

Enrico de Cabiosco se dressa, sans effort apparent :

« La justice ? Rayée de la carte du monde. Plus de justice, monsieur le moine ! Plus rien. Sauf votre folie, sauf ma haine. »

Morelo avala sa salive. Ces paroles que lui

adressait le prince, c'étaient celles-là, exactement, qu'il eût voulu crier à la face de ses assesseurs.

Il sortit à reculons.

Il emportait, à jamais gravée dans son souvenir, la plus atroce image qui soit : celle d'un vieillard qui n'a plus rien à perdre.

« Frères, dit l'Inquisiteur, fermez les rideaux et venez près de moi. J'ai réfléchi à en devenir fou. »

Les moines s'assirent, avec une docilité feinte.

« Voilà, commença Morelo, il importe d'agir avec mesure. Quelle heure est-il ?

— Pas loin de midi absolu, mon père.

— Bien. Depuis l'aube, que s'est-il passé ?

— La femme Donation est morte, mon père. Toutefois, elle a consenti à se confesser.

— Et... Toth ?

— Le juif a été soumis à la question ordinaire. Sans résultat. Nous reprendrons ce soir. En votre présence.

— Et Anne ? »

L'un des moines se leva, joignit les mains :

— Selon vos instructions, nous l'avons laissée dans sa cellule. Oh ! d'ailleurs, son crime est évident. Elle n'est pas seulement coupable de pratiques magiques sur la personne du prince. De plus, elle a recueilli le juif hérétique Toth. Sa femme de chambre, Elena Jovinez, l'a reconnu de son plein gré. »

Morelo se frotta le menton :

« Ah ! oui ? Cela nous permet-il de lui éviter le... enfin, la torture ?

— Non, dit tranquillement le moine. Mais cela nous confirme dans nos convictions.

— Voyez-vous, reprit l'Inquisiteur, il y a cette délicate question des navires de haute mer. Toth est peut-être un hérétique, un criminel odieux, mais... d'une certaine façon, il peut être utile à notre cause. Je m'explique. Les vaisseaux ont été conçus par lui pour affronter les houles de l'océan. Pour atteindre ce nouveau monde, à l'ouest, découvert par Colomb.

Il se tut un instant, puis laissa tomber :

« Sans Toth, qui seul sait comment les manœuvrer, autant en faire du bois de chauffage !

— Peu importe le nouveau monde, mon père !

— Si, répliqua Morelo, cela importe grandement ! Au contraire. Que faites-vous du devoir de tout chrétien d'apporter la bonne parole à ceux qui ne la connaissent pas ? Ces terres de l'ouest sont peuplées de sauvages, qui adorent des idoles. Cela ne vous est-il pas intolérable ? »

Les trois moines parurent ébranlés. L'un d'eux, à son tour, prit la parole :

« Mon père, cela est sans doute déchirant. Mais il ne nous appartient pas de décider. Il faudrait en référer à l'Inquisiteur général.

— Où se trouve-t-il ? demanda don Morelo avec impatience.

— A quatre journées de cheval, mon père.

— Parfait », dit Morelo.

Il eut toutes les peines de monde à réprimer un sourire de satisfaction.

« Qu'on se mette en route sur l'heure, afin de le tenir au courant. De le prier de nous indiquer ce qu'il convient de faire. Sans son approbation, je ne puis décider de mettre à mort l'architecte naval. »

Il s'était attendu à une vive réaction : mais les

trois assesseurs parurent tomber d'accord avec lui.

Ils sortirent, devisant à voix basse.

« Si je sauve Daniel, se dit Jaime de Morelo, je parviendrai bien à sauver aussi cette petite imprudente !

Ce en quoi il se trompait comme jamais encore il ne s'était trompé. Il allait l'apprendre sous peu.

Tandis que la nuit s'apprêtait, deux des trois moines se présentèrent devant l'Inquisiteur. Ils lui apprirent que leur compagnon galopait vers l'Inquisiteur général et reviendrait dès que possible, porteur d'une réponse.

« Mais, ajouta l'un deux, ce qui concerne le juif ne concerne pas la jeune française. »

Morelo pâlit. Il devinait où ses assesseurs voulaient en venir. Il interrogea :

« Qu'attendez-vous de moi ?

— La journée est écoulée, mon père. La fille a eu le temps de réfléchir. A présent, elle doit avouer.

— Oui, insista l'autre moine, nous ne pouvons pas la condamner tant qu'elle persiste à nier ! Et elle nie parce qu'elle n'a pas été soumise à la question, c'est l'évidence même ! »

Jaime de Morelo, dans le secret de son âme, formula une prière silencieuse. Sans doute Dieu avait-il décidé de ne plus attacher la moindre attention aux oraisons de l'Inquisiteur. Car, le premier moine à avoir parlé reprit, d'un ton sec :

« Venez plutôt, mon père... Nous avons tout juste le temps d'obtenir ses aveux avant la tombée de la nuit. »

Une trompette, en cet instant, sonna dans le

lointain des remparts. Une mélopée retenue, grave et funèbre.

L'espace d'une seconde, Jaime de Morelo pensa résister. Il avait le pouvoir de dire « non » et celui de dire « oui ». En temps normal, il se fût révolté contre ce qu'il ne pouvait s'empêcher de considérer comme une injustice. Mais la violence agit, pour qui s'approche d'elle, à la façon des fumerolles d'une drogue soporifique : elle endort l'entendement, transforme la raison en déraison.

Comme un automate, sans un mot, l'Inquisiteur se leva. Il jeta son manteau de bure sur ses épaules. Dans les souterrains stagnait une humidité mauvaise.

Quand elle reconnut la haute silhouette du prieur, Anne se précipita vers lui :

« Vous ! s'écria-t-elle, vous, enfin ! »

Il se recula :

« Non, ne m'approchez pas ! »

Un des moines qui accompagnait Jaime de Morelo expliqua, de sa voix feutrée :

« Comprenez que vous êtes souillée par votre crime. »

Anne eut un frisson, qui n'était pas dû au courant d'air glacial qui circulait dans sa cellule :

« Souillée, moi ? Mais enfin, que me reproche-t-on ? »

Et tout aussitôt :

« Et Daniel ? Où est-il ? Comment va-t-il ? »

L'Inquisiteur eut pitié d'elle :

« Il va... au mieux !

— Vous ne lui avez pas fait de mal ? Et à moi ? Est-ce qu'on va me faire du mal ?

194

— Je le crains, souffla le prieur. Soyez courageuse. »

Elle hocha la tête :

« Ce matin, je l'étais. Mais une longue journée passée ici, et voilà mon courage envolé... Pourtant, je ne vois pas de lucarne par laquelle il eût pu passer ! »

Un à un, des soldats étaient entrés dans le cachot. Ils avaient ramassé la corde.

Anne ferma les yeux.

Dix minutes plus tard, on la ramena dans sa prison. Elle sanglotait.

Jaime de Morelo, qui aidait à la porter, détournait les yeux de ce jeune corps brisé en quelques instants. Brisé sur son ordre. L'Inquisiteur regardait loin devant lui : il n'apercevait que des couloirs de pierre, s'achevant dans une obscurité insondable.

« Voilà, se disait-il, à quoi ressemble ma vie. Une longue marche à travers les ténèbres. Seigneur, qu'ai-je fait, pour que vous m'utilisiez ainsi ? De cette horrible façon ? »

Dieu, plus que jamais, se taisait.

Mais où était Dieu ? Morelo en arrivait à se demander s'il existait. En tout cas, il comprenait que Dieu ne voulût pas descendre dans les profondeurs de ces souterrains ; qu'il refusât de franchir le seuil de la salle voûtée qui avait été autrefois son temple, et qui, maintenant, résonnait des cris de ceux que l'Inquisition soumettait à la question.

On installa Anne tant bien que mal sur une paillasse.

Alors, très lentement, comme si elle avait peur de ce qu'elle allait découvrir, la jeune fille ouvrit les yeux.

Morelo s'agenouilla près d'elle, lui parla à l'oreille :

« Comment vous sentez-vous ? »

Elle murmura :

« Oh ! si mal... »

Il lui caressa le front, avec une tendresse qu'il ne cherchait pas à dissimuler :

« Anne, dit-il, je veux vous remercier. Oui, merci d'avoir avoué presque tout de suite. Je ne pouvais plus supporter de vous voir ainsi... écartelée... »

Elle articula, péniblement :

« C'est moi, don Morelo, qui ne supportais plus...

— A présent, calmez-vous. Votre cœur bat si fort. Reposez-vous. Vous avez reconnu vos fautes, cela est très bien. Au moment de vous juger, nous en tiendrons compte. »

Elle tourna la tête sur le côté. Elle ne souhaitait plus qu'une chose : qu'on voulût bien la laisser seule.

Morelo le comprit. Il se releva, fit signe aux gardes de sortir. Il franchit le dernier le seuil du cachot. Alors, Anne demanda :

« Est-ce que Daniel a souffert ce que j'ai souffert ? »

L'Inquisiteur s'assura qu'on ne pouvait l'entendre. Et il mentit :

« Nous l'avons remis en liberté. »

Anne entendit, à travers l'épaisseur des murailles, éternellement victorieuses des siècles et des pierres, les cloches de la cathédrale Santa Dolorès sonner neuf heures.

Au-dessus, comme s'il appartenait à un univers différent, le soleil pourpre se tenait en suspension à la verticale de l'horizon.

Puis, les cloches se turent. Un silence total pesa sur le cachot.

La jeune fille se tâta : elle n'avait aucune blessure ouverte. Seulement, on avait étiré ses membres si fort, si longtemps... Dix minutes, quand on a dix-sept ans, cela peut ressembler à l'infini du temps.

Daniel était libre. Elle n'avait aucune raison de douter de la parole de Morelo.

Alors, Anne sentit un bien-être inattendu envahir son corps. Cela lui fit la même impression que lorsqu'elle rentrait des champs, là-bas, en France, au plein cœur de l'hiver et qu'elle avalait d'un trait la soupe chaude que son père lui avait préparée. Sensation à la fois brûlante et réconfortante.

« Si Daniel est libre... il va prendre soin de moi. Il ira trouver le prince, il lui racontera ce qui se passe ici, dans les souterrains de son château. Et le prince viendra, avec des hommes d'armes... »

Une douleur fulgurante lui traversa le dos, se ficha comme un poignard entre ses épaules. Elle retint un cri.

« Mon amour, murmura-t-elle, dépêche-toi, je ne tiendrai pas très longtemps ! »

Enrico de Cabiosco avait fait apporter un prie-Dieu au centre géométrique de la cour du palais.

Là, entouré de courtisans portant des torches, le prince s'était agenouillé en prière.

Et Jaime de Morelo, parcourant les remparts pour regagner sa chambre, l'aperçut.

L'Inquisiteur devint livide.

Ce qu'il éprouvait n'était même plus du désespoir : mais, plus tragiquement, la privation totale de tout forme d'espérance.

« L'in-espoir ! »

13

L A SOLITUDE et la nuit eurent vite raison
d'Anne-Sans-Coin, une fois son corps devenu
moins douloureux.

Alors, insidieuse, la peur s'nfiltra en elle.
Jaime de Morelo avait parlé d'un procès. Mais quel
genre de procès ? Elle savait, parce que le prince le
lui avait confié, qu'il existait de faux procès, où les
accusés n'ont pas la possibilité réelle de se défendre.

Mais, à supposer qu'on lui laissât la chance de
s'expliquer, que pourrait-elle dire ? Sous l'effet
d'une intolérable souffrance, elle avait avoué tout
ce qu'avaient voulu les moines qui assistaient don
Morelo.

Elle avait reconnu être une espèce de magi-
cienne :

« J'ai rendu la santé au prince par le truche-
ment d'ingrédients secrets...

— Et en implorant l'aide de Satan ?

— Oui, avait-elle hurlé, en implorant l'aide de Satan ! »

Elle tentait de revivre cette soirée où Daniel Toth s'était serré contre elle, l'avait embrassée. Mais cela lui paraissait à présent tout aussi irréel que le hameau où elle avait vécu, que la longue marche vers Cabiosco. En fait, c'était le bonheur dans son ensemble qui s'échappait d'elle, désertant jusqu'à sa mémoire.

Peu à peu, elle redevenait petite fille.

Elle marchait à pas lents, dans sa cellule :

« Oui, père, oui... Je vous apporte de l'eau tout de suite... Mais comme il fait froid et noir, dans cette forêt ! Père, pourquoi m'avez-vous envoyée ici ? Je veux rentrer à la maison. »

Parfois elle se reprenait :

« Je suis folle ! Je suis à Cabiosco, en prison, j'attends qu'on me juge ! »

Lorsqu'elle était lucide, une question l'obsédait :

« Comment peut-on faire tant de mal à une jeune fille ? Au nom de quoi ? Avec la permission de qui ? »

Et elle prenait des décisions, tout en devinant qu'elle n'aurait sans doute jamais l'occasion de les tenir :

« Quand je serai libre, je consacrerai ma vie à visiter les petites filles que l'on met en prison. Il doit y en avoir tant et tant. Qui ont peur comme moi. Et les gens ne disent rien, ils laissent faire. »

Alors, elle criait — et les pierres vibraient :

« Ce n'est pas une chose normale ! »

Ayant affirmé à Anne que Daniel Toth était

libre, don Morelo estima inutile, quand cela fut enfin devenu une réalité, de le lui confirmer.

Car, ainsi qu'il l'avait prévu, l'Inquisiteur général avait ordonné que l'on rendît secrètement sa liberté à l'architecte naval, afin de lui permettre de doter l'Eglise d'Espagne de deux puissants bâtiments qui iraient répandre l'Evangile chez les étranges indigènes du monde découvert par Colomb.

La première question que posa Daniel Toth fut évidemment pour s'enquérir de ce qu'il était advenu de la jeune fille qu'il aimait. Comme il avait trompé, par charité, Anne au sujet de Daniel, Jaime de Morelo trompa Daniel au sujet d'Anne :

« Elle est loin, mon petit. A l'heure qu'il est, sans doute a-t-elle atteint les frontières de France. »

Daniel avait réfléchi un instant, puis :

« Don Morelo, vous savez où elle habite en France. Vous me donnerez une carte. Je la rejoindrai, lorsque les vaisseaux auront appareillé... lorsque je n'aurai plus rien à faire ici.

— Mais oui, je te donnerai une carte. »

Et Daniel Toth, ayant revêtu de nouveau son manteau blanc, s'était élancé vers la forêt d'où jaillissaient, comme les flèches d'une cathédrale, les mâts des bateaux géants.

Le 8 septembre de l'an de grâce 1495, le tribunal de la Sainte Inquisition siégeant à Cabiosco, sous la présidence du père don Jaime de Morelo, rendit contre Anne-Sans-Coin un verdict de culpabilité pour le crime de pratiques démoniaques.

L'accusation de complicité avec un hérétique n'avait pas été retenue, l'hérétique en question —

Daniel Toth — ayant retrouvé ses pleins droits, son honneur et sa liberté.

En conséquence de ce verdict, et en dépit de sa jeunesse (ou, rapporte l'un des chroniqueurs du temps, *à cause* de cette jeunesse qui apparaissait comme un défi), Anne-Sans-Coin fut livrée par l'Eglise au bras séculier, afin d'être mise à mort selon la règle. Laquelle règle était celle de la crémation *de vivo*, autrement dit sur le bûcher.

Avant que la sentence soit placardée sur les murs de la ville, ou annoncée aux habitants par les hérauts, don Jaime de Morelo pria ses assesseurs de lui permettre d'en avertir le prince ; ce qui lui fut accordé.

Quand à Anne-Sans-Coin, elle accueillit ce verdict avec ce que certains prirent pour de l'insolence, et qui n'était, en fait, que la plus totale des incompréhensions.

Enrico de Cabiosco attendait le moine.

Il l'attendait les dents serrées, les doigts crispés sur les accoudoirs de son fauteuil.

Il avait ordonné qu'on les laissât seuls, face à face.

« Eh bien, don Morelo ? »

L'Inquisiteur regarda le prince droit dans les yeux :

« C'est la mort, Altesse. »

Enrico de Cabiosco eut à peine un tressaillement. Il dit, d'une voix posée, en homme qui a beaucoup réfléchi :

« Savez-vous ce que je vais faire, à présent, don Morelo ?

— Je l'ignore, Altesse.

— Je vais remettre cette affaire entre les mains de la Vierge. Les hommes s'en sont trop mêlés, me semble-t-il. Oui, don Morelo, je vais confier cette funèbre chose à Notre-Dame. »

Le moine écarta les bras :

« Je ne sais que dire, Altesse ! »

— Oh ! surtout, gardez-vous bien de rien dire ! »

Jaime de Morelo s'inclina, et se dirigea vers la porte. Mais la voix ferme du prince le figea sur place :

« Restez ici, don Morelo. Je tiens essentiellement à ce que vous assistiez à ma prière. »

Enrico de Cabiosco s'agenouilla, et dit :

« Vous aussi ! Deux genoux en terre ! »

Un oiseau était entré par mégarde dans l'immense salle d'apparat.

Pendant un long moment, on entendit le seul bruit de ses ailes qui frappaient les murs, les tentures. Et le cri aigu, déchirant, d'une petite bête prise au piège.

Imperceptiblement, le prince se tourna vers la fenêtre du centre. Il attendit que le soleil pénétrât à flots dans la pièce.

Alors, il commença :

« Souvenez-vous, ô très miséricordieuse Vierge Marie, qu'on n'a jamais entendu dire qu'aucun de ceux qui ont eu recours à votre assistance, imploré votre secours, ou réclamé votre intervention, ait été abandonné... »

Avant de poursuivre, il se tourna vers le moine :

« Vous saisissez bien le sens de ces paroles, don Jaime de Morelo ? »

L'Inquisiteur inclina la tête.

Enrico de Cabiosco reprit :

« Alors, tremblez ! Parce que je serais fort étonné que Notre-Dame ait choisi particulièrement le 8 septembre de l'an 1495 pour refuser à l'un de ses enfants sa protection, son secours et son assistance...

Morelo blêmit :

« Altesse, évidemment, si vous prenez ces paroles au pied de la lettre... »

Le prince sourit :

« Je prends toujours tout au pied de la lettre, monsieur l'Inquisiteur. Les prières... Et les condamnations à mort. »

Anne s'efforçait de respirer calmement : elle utilisait une méthode que son père et maître Godefroy lui avaient enseignée, et qui permettait de grimper haut et loin dans la montagne.

Car elle se représentait l'aube qui viendrait comme une montagne à gravir. Une montagne inconnue, où les pièges le disputeraient à la nuit.

Pour l'heure, elle acceptait l'idée de mourir. Et s'étonnait d'être ainsi résignée.

Il faut dire que, n'ayant jamais vu de suppliciés brûler vifs sur un bûcher, elle n'avait qu'une assez vague idée de ce qui l'attendait. Son imagination, ce soir miraculeusement, lui faisait défaut.

Elle s'attachait davantage à l'évocation de toutes les choses belles qu'elle avait vues dans sa vie, qu'elle avait approchées, qu'elle avait aimées.

Dans l'obscurité de sa cellule, dansaient les chamois de Chartreuse, insaisissables et dorés ; elle voyait, comme en plein jour, palpiter le village blotti au creux de sa vallée, et des fumées bleues s'élevaient, qui montaient toujours plus haut, toujours plus droit, et se mêlaient aux nuées.

204

Puis, c'était une route qui se déroulait devant elle. Une route d'où, un jour, étaient venus des cavaliers espagnols, qui l'avaient prise par la main.

Un monde entier semblait s'être donné rendez-vous entre les murs de ce cachot. Un monde qui sentait le foin et la gentiane. Un monde immense, qui se faisait tout petit pour qu'une jeune fille qui allait mourir pût le contempler et le caresser une dernière fois.

Et, debout sur ce monde-là, elle voyait un homme vêtu de blanc, les cheveux ébourriffés par le vent — et qui lui souriait...

Istvek s'assura que les environs de sa maison étaient déserts. Il ferma la porte à double tour. Puis, faisant face à Daniel Toth :

« Tu ne sais rien, n'est-ce pas ? Non, si tu savais... tu ne serais pas là !

— Que suis-je censé savoir ?

— Anne, dit simplement le vieux juif.

— Elle est en France, Istvek.

— Elle n'a jamais quitté Cabiosco. Elle n'a jamais quitté les prisons de Cabiosco. Demain matin, elle sera exécutée. Je devais te le dire, mon enfant. »

Daniel ne bougea pas. Il demeurait comme pétrifié.

Enfin, avec une extrême lenteur, il parla :
« Merci, Istvek. »

Myriam apparut alors. Elle avait du mal à retenir ses larmes. Elle parla, elle aussi :
« Tourne-toi vers Yahvé, Daniel. »

Le jeune homme ôta son manteau blanc, qui tomba sur le sol.

« Istvek, murmura-t-il, veux-tu me prêter le manteau du père de ton père ? »

Le vieil homme hocha la tête, à plusieurs reprises :

« Oui, Daniel, je le veux bien. »

Il disparut un instant. On l'entendit fouiller la maison. Puis, il revint.

Il tenait, posé sur ses bras étendus, un manteau d'une extraordinaire ampleur.

Ce manteau était, sur le devant, rouge comme seul le sang peut être rouge.

Et le dos était noir, comme seule la mort peut être noire.

14

I L Y AVAIT, sur les chemins, de la menthe.
Une fourrure verte, de menthe fraîche.
Des étendards claquaient au vent de la mer.
La foule attendait, muette.
Le bourreau, le visage masqué par un capuchon conique, attendait.
Jaime de Morelo attendait.
Les trois moines, le visage fermé, attendaient.
Anne attendait.
Seul, le petit frère Domenico n'attendait pas : il s'était hissé sur le bûcher. Péniblement, manquant perdre l'équilibre à chaque pas, il s'était approché de la jeune fille.
Et puis, sans que rien eût pû laissé prévoir ce geste, il l'avait embrassée, une fois sur chaque joue.
« Est-ce que vous n'avez pas mal...? Je veux dire, vos bras enchaînés, cela ne vous blesse pas ? »
Et il s'était assis tranquillement sur le bois sec, à côté d'elle ; des plis de sa robe de bure, il avait

extrait un livre de prières, l'avait ouvert et s'était mis à lire des psaumes.

Le ciel était d'un bleu merveilleux.

Des oiseaux s'étaient posés sur les corniches ; eux aussi paraissaient attendre.

Enfin, la foule s'écarta : Enrico de Cabiosco arrivait, étendu sur sa litière que portaient deux valets.

Jaime de Morelo se pencha vers lui et dit, d'une voix blanche :

« Altesse, il le fallait. Votre présence... »

Le prince leva la main :

« Allons, don Morelo, me voici ! Ne vous excusez pas. Vous savez bien que dans mon cœur il n'y a plus la moindre petite place pour le pardon. »

Anne regardait tout cela, sans vraiment le voir. Ses yeux s'étaient posés là-bas, très loin, à cet endroit précis où la plaine s'arrêtait et où commençait la forêt.

Elle savait que tout travail avait été interdit, partout dans la ville.

Elle se sentait très calme. Comme déjà morte. En apercevant le bûcher, elle avait eu un léger mouvement de recul. Puis, aussitôt, elle avait pensé :

« Voilà ma montagne. Respire, petite fille, respire bien comme on te l'a appris. »

Une trompette qui sonne.

Les soldats rompent les rangs et, hallebardes et piques dressées vers le ciel, ils prennent position entre la foule et le bûcher.

Domenico lève son jeune visage, empreint ce

208

matin d'une terrible gravité, vers Anne-Sans-Coin :

« N'ayez pas peur, n'est-ce pas ? Je vous en prie, n'ayez pas peur ! »

La jeune fille ne l'entend pas. De fait, il n'est plus un son qui parvienne jusqu'à elle. Par un formidable effort de volonté, elle se ferme.

Elle appelle l'ouate bienfaisante à son secours, la blanche ouate des comas et des rêves éveillés.

Tout de même, une dernière fois, elle tire un peu sur les chaînes qui la retiennent au poteau fiché tout en haut du bûcher. Les chaînes résistent.

« Ils m'ont clouée là, comme Pierre Hutocloque clouait des chouettes aux portes des granges. »

C'est tout. Elle ne se révolte pas. Elle n'accepte pas non plus : simplement, elle fuit. Elle *se* fuit.

Elle s'observe de l'extérieur :

« C'est moi, dans cette drôle de robe grise ? »

Un homme s'avance.

Il déroule un parchemin, et commence de lire, d'un ton neutre, négligeant les virgules, les points. A croire qu'il ne comprend pas un mot de ce qu'il lit.

Ou bien, qu'il ne veut pas comprendre.

D'ailleurs, on ne l'écoute pas.

Maintenant, avec son grand parchemin que le vent soulève comme une voile, l'homme s'approche du bourreau et lui glisse un mot à l'oreille.

Le bourreau fait un signe bref, précis, à l'adresse de ses aides. Ceux-ci, alors, saisissent chacun une torche enduite de résine et marchent vers le bûcher.

Et le bourreau indique avec un peu d'agacement à frère Domenico qu'il doit descendre de là-haut, s'il ne veut pas griller avec la sorcière.

Et le feu va prendre.

Anne ouvre la bouche, comme pour dire quelque chose.

Elle paraît si fragile, vue d'en-bas.

Les aides du bourreau ont comme une hésitation. Puis ils tendent ensemble le bout incandescent des torches vers les premières piles de fagots.

Anne regarde monter vers elle les rubans de fumée.

Comme chaque matin, la vieille Lucia Alquivir, son panier de linge posé en équilibre sur la tête, va vers la mer. De tout temps, Lucia a lavé son linge dans les vagues : elle estime que le sel empèse les chemises et les robes mieux que l'eau de cuisson du riz qu'utilisent les blanchisseuses de Cabiosco.

Mais aujourd'hui, exceptionnellement, Lucia a ordonné à son fils Antonio de l'accompagner. Elle ne tient pas à ce que le jeune garçon aille rôder dans la ville. Elle redoute, surtout, qu'il assiste à l'ignoble cérémonie qui doit se dérouler, à l'instant même, sur la place. Voir mourir une jeune fille n'est pas un spectacle pour un enfant. Au retour, Antonio lui poserait des questions — et que pourrait-elle lui répondre, sinon que les hommes se divisent en deux catégories : les hommes stupides et les hommes cruels.

Arrivée sur la plage, Lucia dépose sur le sable son lourd panier. Elle se tient les reins, et gémit :

210

« L'an prochain, je ne serai plus capable d'en porter autant ! Seigneur Dieu, à quoi donc sert la vieillesse ? Pourquoi ne restons-nous pas jeunes et valides jusqu'à l'instant de notre mort ? »

Lucia, péniblement, se redresse.

Soudain, elle pâlit :

« Antonio... regarde un peu par ici ! »

D'un doigt tremblant, la vieille Lucia Alquivir montre l'horizon à son fils : une fantastique muraille se dresse entre le ciel et la surface des flots.

« Tu vois ce que je vois ? » dit encore Lucia, atterrée.

Antonio ne répond pas. Il tremble de tous ses membres.

Là-bas, sur la mer, la muraille paraît se déplacer à la vitesse d'un cheval lancé au grand galop.

« Un raz-de-marée », murmure la vieille femme en se signant.

Maintenant, on perçoit nettement le tonnerre effroyable de cette masse de millions d'hectolitres d'eau roulés sur eux-mêmes, et d'immenses langues d'écume s'en arrachent et jaillissent vers le soleil.

Selon les instants, la muraille est blême, verte, bleue foncée.

Antonio se met à pleurer et se blottit contre sa mère.

Mais Lucia le repousse :

« Attends, enfant ! Ce n'est pas le moment de pleurnicher ! Il faut faire quelque chose ! »

En lui-même, Antonio se demande ce qu'une vieille femme et un petit garçon vont bien pouvoir tenter pour arrêter la course folle du cataclysme.

Pourtant, Lucia ne compte pas le moins du monde opposer ses maigres forces à la vague monstrueuse : dans son esprit simple, une autre idée est en train de grandir...

La première rangée horizontale de fagots s'embrase, et le bois gronde en brûlant.

La fumée, de seconde en seconde plus épaisse, masque aux spectateurs le corps enchaîné d'Anne-Sans-Coin.

Enrico de Cabiosco cesse un instant de prier et, se penchant vers un des capitaines de sa garde :

« Tu n'entends rien, Hernandez ? »

L'officier tend l'oreille, attentif. Puis :

« Je ne sais trop, Altesse. En tout cas, c'est lointain ! »

— Lointain ou pas, *il y a quelque chose* », insiste le prince.

Et soudain, une voix aiguë s'élève, qui domine la rumeur de la foule. La voix d'un enfant :

« Altesse ! Ecoutez-moi ! Je vous en prie, laissez-moi arriver jusqu'à son Altesse ! »

Enrico se soulève, cherche à apercevoir l'enfant qui crie ainsi.

Brusquement, il le voit.

Antonio est là. Il tient la main de Daniel Toth.

« L'architecte ! murmure-t-on. Avec le fils de Lucia ! »

Lentement, comme s'il avait toute l'éternité devant lui, le juif relève les pans de son étrange manteau rouge et noir. Il s'agenouille devant le prince. Alors, désignant Antonio :

« Croyez-vous à la parole des enfants, Altesse ?

— Vite ! Parle ! s'exclame Enrico de Cabiosco.

— La mer s'est soulevée, dit Antonio d'un ton

212

précipité. J'étais sur la plage avec ma mère, Lucia Alquivir. C'est un raz-de-marée, et toute la ville va être engloutie.

— Une simple question de minutes », conclut Daniel Toth avec un calme effrayant.

Les moines de l'Inquisition, suivis de Morelo, se sont rapprochés. Leurs mains tremblent.

Le capitaine Hernandez se penche vers le prince :

« Altesse, il sera impossible de faire évacuer la place dans le calme et dans l'ordre. Cela va être horrible, les gens vont se piétiner les uns les autres... »

Enrico de Cabiosco baisse la tête, accablé.

Alors l'enfant lui dit, tout bas :

« Altesse, faites détacher la jeune fille qui est sur le bûcher.

— Pourquoi ?

— Dieu est en colère à cause de cela, Altesse. Il faut l'apaiser. »

Le prince semble se ramasser sur lui-même. Puis, brusquement, il se redresse :

« Hernandez ! Toi et tes hommes... »

Il n'a pas le temps d'achever : déjà le capitaine de la garde s'est rué vers le bûcher qui disparaît dans la fumée.

Enrico de Cabiosco murmure, sans oser regarder Toth en face :

« Et si elle est déjà morte ? Ou bien défigurée par les flammes ? »

L'architecte naval répond, imperturbable :

« Il serait préférable qu'elle vive... » avant de se tourner vers Jaime de Morelo et ses assesseurs, qui reculent, les traits défaits.

213

Le monde est secoué par une extraordinaire explosion.

La vague géante s'abat, comme si elle tombait du ciel.

Il fait nuit à midi. Les hurlements de terreur de la foule se mêlent au fracas des murs qui cèdent sous la poussée des eaux.

Le cauchemar semble durer, un temps infini.

Quelques secondes à peine, en réalité...

Puis, le silence s'étend.

Un silence de mort, à peine troublé par le ruissellement des eaux qui s'écoulent, repartant vers la mer.

Enrico de Cabiosco se retrouve adossé contre la porte d'un estaminet, où les flots l'ont emporté. Il parvient, tant bien que mal, à se redresser.

Il contemple la place de sa ville, comme un lac glauque, encombré d'innommables épaves, où pataugent des femmes en larmes et des hommes qui cherchent à comprendre...

Le bûcher n'existe plus.

Le prince, alors, regarde au-delà de la place, en direction de l'avenue qui monte vers les collines — on dirait qu'elle va vers le ciel.

Il sourit.

Tenant son cheval par la bride, Daniel Toth s'éloigne sans se retourner. Sur le dos de l'animal, Enrico de Cabiosco reconnaît la silhouette d'Anne-Sans-Coin qui serre contre sa poitrine l'enfant Antonio.

« Anne ! » crie le vieillard.

La jeune fille, alors, tourne la tête vers lui : le prince distingue son clair visage.

« Merci, mon Dieu ! » murmure Enrico.

Il sent en lui monter des forces nouvelles.

D'un pas décidé, sans se préoccuper des torrents d'eau qui lui arrivent aux mollets, le prince avance vers le centre de la place. Jaime de Morelo est là, qui le regarde venir.

« Eh bien, Monsieur l'Inquisiteur ? Vous vouliez, disiez-vous, employer le feu pour nettoyer ma ville de ses hérésies et de ses blasphèmes ? Je crains que vous n'ayez quelques difficultés, désormais, à faire prendre vos fagots, dans cette humidité ! »

Le capitaine Hernandez, les vêtements roussis et déchiquetés, interrompt alors le prince de Cabiosco :

« Altesse, c'est un miracle ! Il n'y a que trois morts ! »

Et il tend la main vers les silhouettes des moines assesseurs, que l'on emporte.

En souriant, le vieillard se tourne vers Morelo :

« Qu'en pensez-vous, don Jaime ? Vous qui connaissez si bien les affaires de Dieu ! Est-ce un miracle ? »

Levant les yeux vers le ciel, Morelo soupire :

« Je le voudrais tant... »

Là-bas, tout au bout de l'avenue, Daniel Toth et Anne-Sans-Coin ont disparu, emmenant Antonio avec eux.

Le soleil éclaire cette route qu'ils viennent de prendre. Elle mène vers la terre de France.

TABLE

DIDIER DECOIN

C'est l'un des plus jeunes et des plus séduisants parmi les brillants romanciers de la littérature contemporaine.

Didier Decoin a déjà été journaliste, réalisateur à la radio, dialoguiste de films. Ce qui lui a quand même laissé le temps de visiter les Etats-Unis, l'Afrique du Nord, une partie de l'Europe. Et d'écrire une dizaine de romans.

Ainsi que d'innombrables lecteurs, les libraires ont apprécié la qualité d'un tel écrivain, sensible, profond, généreux, en décernant leur Prix à son œuvre la plus célèbre, *Abraham de Brooklyn*.

Didier Decoin habite, à la campagne, une très vieille demeure dans les caves de laquelle siéga — dit-on — un tribunal de l'Inquisition.

Comment n'y pas entendre les voix ardentes et pleines de ferveur qui lui ont conté une si belle histoire d'amour ? *D'amour et de flammes...*

9 $1.75

Le Soleil que tu m'as Donné

MAURICE MÉTRAL

Laurence enleva son Bonnet et fit mousser ses cheveux sur ses épaules.

Des Roses pour Annick

Martin
du
Petit Matin

FRANÇOISE FLOR

Martin, ô Martin, pourquoi
m'as-tu laissé m'attacher à toi,
rêver, imaginer?

Des Roses pour Annick

L'Inconnue de l'Île Grecque

ARLETTE de PITRAY

Et puis, vous voilà mystérieuse,
et, brusquement je vous cherche.
Qui êtes-vous Héléna?

Des Roses pour Annick

IMPRIME AU CANADA